Peepshows: A Visual History

1   LA PIÈCE CURIEUSE. *c. 1820,* Antoine Béranger, *lithograph, 6¼" x 8¼".*

Peepshows:

A Visual History

Richard Balzer

Harry N. Abrams, Inc., Publishers

Library of Congress Cataloging-in-Publication Data

Balzer, Richard.
    Peepshows: a visual history / Richard Balzer.
        p.   cm.
    Includes bibliographical references.
    ISBN 0–8109–6349–3 (Abrams, cloth)
    1.   Peep shows—History.   I. Title.
GV1525.B35   1998
791—DC21   97-33267

Distributed in 1998
by Harry N. Abrams, Incorporated, New York

Designed by John and Dorothy Hill
Typographic composition by Teresa Fox
Set in Monotype Bulmer™ and Bulmer Expert
Printed and bound in China

Picture captions give all dimensions in inches.
Annotations include more complete information
with dimensions in both inches and centimeters.
Indication of width precedes height throughout.

Harry N. Abrams, Inc.
100 Fifth Avenue
New York, N.Y. 10011
www.abramsbooks.com

Contents

1A   PEEP SHOW MAN. *c. 1910*, Lance Thackeray,
letter press print from pencil drawing,
page size 6" x 8¾", full image shown here.

Preface

Putting this book together has been like putting together a puzzle. There is not much written about peepshows, and what there is, is often not in English. More daunting has been locating information about the various objects and images displayed in this book. Many of them were sold unsigned. Others were removed from folios or books, or cut out from other pieces of work. One way or another, much of the work has been separated from its original source material. Trying to determine the artists, dates and important collateral information has not been easy, but has necessitated learning many ancillary facts, data and opinions about printing processes, costumes, political satire, prints, periodicals and books of the time.

All the images in this book are taken from my collection. This was not an easy decision, because elsewhere I have seen at least as many images that are not included in my collection. This book makes no attempt to catalogue exhaustively all existing images of peepshows. Rather, it tries to present the images in a manner in which they can be appreciated, and the world of the peepshow can be contemplated.

The material in this book is generally chronological in arrangement. However, in several places there are images and/or objects from different time periods which, because of their similarities, are grouped together. The amount of information adjacent to each image is limited so as not to interfere with the visual enjoyment of the item. More extensive notes about each item are to be found at the end of the book.

This book could not have been completed without a vast amount of help from a variety of people. I have known John Townsend, Bill Barnes, Jean-Philippe Salier, and Ricky Jay for many years, and each has been generous with time, knowledge and support. I would like to thank Keiichi Yamamoto, a magician and friend who is no longer with us. He shared a great deal with me, and expanded my awareness about the peepshow in Japan and China. Many other friends and acquaintances including: Francois Binétruy, Werner Nekes, Denis Ozanne, David Francis, Kerrey Baddeley, Herman Bollaert, Bill Bopp, Allen and Hillary Weiner, X. Theodore Barber, Mike Smith, Ruud Hoff and Lester Smith have contributed. In the last year I have also received assistance from many people whom I had not met before. Their help is greatly appreciated. Four of these people are owed a particular debt of gratitude. Each has given generously of his or her time and wealth of knowledge. They are: Anthony Griffiths, Keeper of Prints and Drawings the British Museum, Ralph Hyde, Keeper of Prints and Maps the Guildhall Library; Majorie Cohn, Curator of Prints of Harvard's Fogg Museum, and Annette Fern, Research Librarian the Harvard Theatre Arts Collection. I have learned an enormous amount from them, and would like to thank them for sharing their expertise with me.

My wife, Eileen, has been kind enough to look over several drafts. Teresa Fox, with her keen focus on typographic composition, has given this text grace. Dorothy Hill has come up with a very imaginative cover design. Eric Harrington has made the images come alive with his photography. Jean-Philippe Salier has been generous enough to offer readers a French translation. The completion of this book owes much to John Hill. I knew him first as a teacher more than twenty five years ago, when he taught me about photography and how to see, and he has been a friend all these years. His design work and counsel have been invaluable.

R.B.

Peepshows: An Eye to the World

Richard Balzer

Look around the room. Now leave the room, close the door and look through the keyhole. See how dramatically the view of the room changes. The manipulation of space is very ancient. Japanese rock gardens and European peepshows, both manipulators of space, have some surprising, if superficial, similarities, as well as very deep differences. Since ancient times the Japanese have explored, through marvelously designed rock gardens, the use and manipulation of constrained space as an opportunity to experience the world. One was guided down a path to view carefully arranged rocks and sand and to contemplate their relationship to each other as well as their representation of the natural world. By the sixteenth century the Japanese were experimenting with how a fixed vantage point would alter and enhance the experience of the rock garden. The viewer would enjoy the garden not by strolling but by viewing from a single point, creating a carefully considered perspective. These gardens were places for quiet contemplation and meditation. The world within was an internal journey, allowing each person to think about himself and his relationship to the world.

At the same time, in Europe, artists were playing with similar notions of vantage point and perspective, in a desire to create a world in a confined space. By the close of the sixteenth century all the elements of the peepshow were there: an enclosed box, and at least one hole by which a small space could be entered visually. The seductiveness of the peepshow was, in part, a result of its construction, a closed hidden space. There is something intrinsically alluring about such space. Just as today we are excited to know what is in a wrapped or boxed gift, or what lies behind a curtain or closed door, there was then the sense of mystery and excitement of what was in the box and behind the showman's promise of a larger more exciting world.

Unlike the Japanese rock garden, the European peepshow was not primarily a vehicle for self discovery. It was profoundly outwardly directed, challenging

2   NÜRNBERG BEI FR.CAMPE. *c. 1830,* anon., *detail, hand-colored etching, 1″ x 1″.*

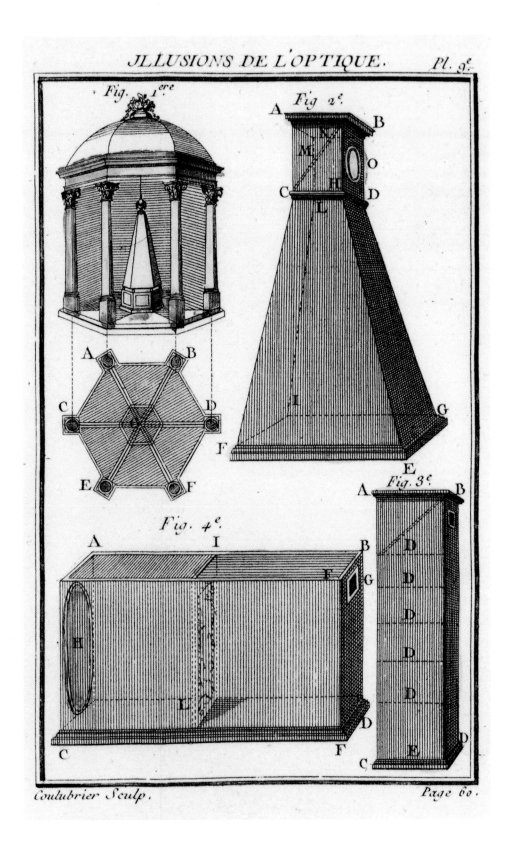

3   ILLUSIONS DE L'OPTIQUE. *1769*, Coutubrier, *[Edmè-Gilles Guyot]*
hand colored engraving, 3½" x 5½".

the boundaries of peoples' lives, expanding their sense of the world. This invention would carry several names and would be altered as it passed from the hands of artists and scientists to street entertainers, but what emerged was a device that would thrill and entertain people for more than two centuries.

The peepshow, transporter through time and space, purveyor of both edification and pleasure, became a feature of popular entertainment in much of Europe, as well as the United States, Japan and China, by the 18th century. For nearly two hundred years itinerant showmen hawked their wares in competition with other street entertainers in Europe's great cities. City streets were not quiet places, but more often crowded, bustling, noisy thoroughfares of traffic and commerce where men and women tried to eke out a living selling goods and services, as well as offering entertainments of all shapes and varieties. The peepshow had to compete with dancing bears, learned pigs, jugglers, balancing acts, conjurers, pantomimes, and puppeteers. All knew a crowd was necessary and supplemented their own plaintive cries with bells, horns, drums, and other musical instruments to attract attention. Against such a backdrop the peepshow entertainer might locate himself on a crowded street, near a public house, or travel to the various fairs. The fairs were great gatherings of people and provided a large potential audience. In England such fairs as Bartholomew and Southwark began as religious events, and over time offered commerce and entertainment. By the early part of the 18th century the fair had become a gathering of large numbers of people in search of a variety of entertainment. What were the fairs like? Listen to a description from George Cruikshank:

"We... hastily pinned our handkerchief inside our hat, emptied all our pockets—save one, divested our person of watch and jewelry, (for we hold it heinous to encourage picking and stealing) and then hurried out in the direction of Smithfield, resolving in the plentitude of our joy to visit every show, have a ride in every swing, take a chance at every penny turn, roll the marble down every tower of Babel...." [1]

The city was not the only place to find the showmen. They could be found wandering the countryside in search of a village green where they might entice the locals into spending a few coins to see the sights and adventures of the age.

What wondrous sights there were to visit: distant lands, never before seen and perhaps never before even heard of, ferocious battles and stately monuments, images to startle and delight. The views were for everyone, for those who could read and those who couldn't. The mysterious box beckoned with a glimpse of a world well beyond one's self. In an era when individual lives were constrained by time and space, the box suggested escape from the boundaries of daily life. Sometimes these machines were referred to as Raree Shows, supposedly the mispronunciation by "foreigners", those traveling galanteen showmen from Switzerland or Italy, of the phrase Rare Show. The term Raree Show would be so overworked, being applied to almost any form of street entertainment, that over time it became a term of derision used by social commentators to mock the most common forms of entertainment. Nevertheless, many of these early shows must have been rare indeed.

4   SIEGE OF GIBRALTAR. *1874,* anon., *reproduction of Setchel engraving [Henry Morley], wood engraving, 4" x 2".*

(opposite)

5   SERGEANT BELL AND HIS RAREE-SHOW. *1839,* anon., *wood engraving, 3½" x 4".*

Indeed these magic boxes, these peepshows, must have been quite seductive. Listen to the words of Sergeant Bell, a 19th century storybook peepshow man, as he tries to win the attention of some young viewers.

"Now make no noise, my girls and boys, but march forward and listen to Sergeant Bell, the raree-showman. If there are any among you who do not desire to obtain knowledge, let them go home and hide their faces with both their hands; let them blush till they are as red as a soldier's jacket; but if you all do desire to know about the wonderful things and places that are in the world, why, march forward, then, my little women and men, and see, and hear, and reap all the advantages offered you by age and experience." [2]

The peepshow presenter was in a unique situation, offering at the same time an entertainment which was both public and private. His venue was the streets, and he, like any other entertainer, had to work with his voice, musical instruments, and possibly an accompanist, to gather a crowd. This was all very public. However his offering, distinct from most other public entertainments, was private, an individual peek into a box. Most peepshows seemed to be limited to a few viewing holes. Somehow, then, the showman's stories had to be good enough to sustain a crowd while intriguing them into paying for a view. It appears that some showmen concerned with the attention span of the audience, no matter how good their offering, augmented their shows with trained animals, magic lanterns and puppets (some can be spied in the images in this book).

6   THE PEEP SHOW. *c.1740,* "William Hogarth" *(inaccurate attribution), oil on canvas, 31½" x 25".*

7   VIEW OF CHURCH OF ST. PETER, VIENNA.
18th century, anon.
hand-colored engraving, 18" x 12".

8   VIEW OF CHURCH OF ST. PETER, VIENNA.
18th century, anon.
hand-colored engraving, 18" x 12",
with rear illumination, evening view.

9   VIEW OF CHURCH OF ST. PETER, VIENNA.
18th century, anon.
hand-colored engraving, 18" x 12",
reverse side showing colored tissue.

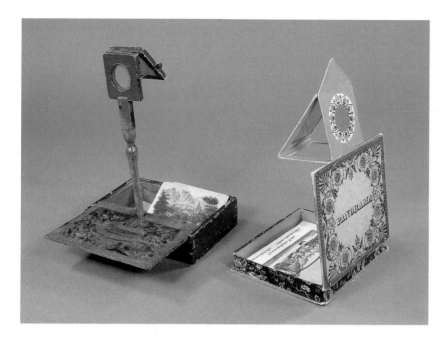

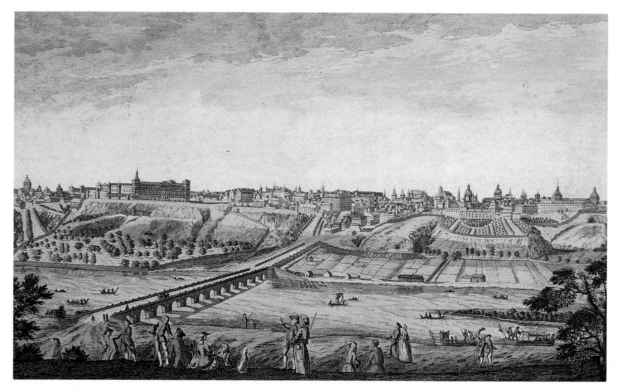

10   ZOGRASCOPE. *c. 1800, wood, 8" x 22".*

11   TOY PANORAMAS. *c.1850, left, wood, 5½" x 4½"*
     right, paper, 5¾" x 4".

12   A GENERAL VIEW OF THE CITY OF MADRID. *1794, anon.,*
     hand-colored engraving, 18" x 12".

What exactly is a peepshow? There is some debate over this question. A peepshow is a closed, or semi-closed, box having at least one viewing hole through which a view is seen. The box may or may not use mirrors to create an illusion or redirect the viewing point. This is more inclusive than some other definitions which exclude devices using mirrors. The zograscope, another 18th century viewing device which uses both a double convex lens and a mirror to create the illusion of depth for the views placed at its base, does not meet this definition. It does not possess a box or enclosed space, and this robs the viewer of the mystery of entering an inaccessible space and viewing a hidden image. However, viewing boxes called boîte d'optiques, or optiques which not only employed the principles of the zograscope but also used a partially closed box, should be considered peepshows, even though they utilize a mirror to redirect the eye. Peepshows carried different names in different countries: in Holland, optiques, in Germany, guckkasten, in France, boîte d'optique, in Italy, mondo nuovo, in England and the U.S., peepshow.

13   L'OPTIQUE. *c. 1790*, J.F. Casenave *after Louis-Leopold Boilly, hand-colored acquatint, 18" x 21½".*

There is relatively little known about the origins of this simple device. In 1437 an Italian, Leone Battista Alberti, priest, poet, musician, painter, sculptor, and probably best known as an architect, devised a mechanism to look at perspective views through a small hole in a box. Little is known about these boxes, but Alberti was reputed to have had two kinds of boxes, one for day scenes and the other for night scenes in which, "... orion and other bright stars were seen, as well as the moon rising over rocks and mountains."[3] Alberti's work occurred at a time when a number of artists and scientists were trying to understand the notion of vanishing point and how, with the illusion of depth, to transform two dimensional art into the appearance of three dimensional reality. This interest in perspective would not only lead to the development of several optical devices including anamorphic images, the zograscope and peepshows but, more importantly, would profoundly impact the nature of painting.

Where else might we look for the birth of the peepshow? Others have pointed to the work of another Italian, Giovanni Battista della Porta, who popularized the camera obscura (dark chamber) in his book *Magia Naturalis* in 1558. It is certainly possible to trace some roots of the peepshow to this device which allows a slice of reality to be recreated in a darkened room by use of a lens focused on the outside world. The camera obscura, a tool for artists, utilized the essentials of the peepshow, the box and the lens. It might be considered nature's peepshow, recreating reality in a room or on the surface of a box. But this was its limitation. It captured an actual reality and transposed it onto a surface to be studied, rather than allowing the viewer a glimpse of a created and possibly imaginary world, existing somewhere else across time and space. Nevertheless, this invention must have influenced the development of the peepshow.

The anamorphic image also had an impact on the development of perspective and the peepshow. Durer referred to anamorphic drawings in a letter of 1506 writing that he was going to Bologna to learn the art of secret perspective.[4] In 1583 Egnacio Danti wrote about an anamorphic image drawn in a box to be viewed through a hole, suggesting an anamorphic peepbox. This same idea would later be illustrated by Mario Bettini in 1642.

The development of the peepshow also seems to be strongly linked to a small set of still existing artifacts from the 16th and 17th centuries. The Augsburg clock maker Marggraf built two boxes, in a span of four years, which served both as clocks and as peepshows. One, built in 1596, is an ornate container with a clock on the front. When the lid of the box is lifted at a forty-five degree angle, one is treated to a peepshow reflected in a mirror. Marggraf executed another of his brilliant clockwork toys in 1599. This one no longer required the viewer to lift the lid;

14 PORTABLE CAMERA OBSCURA. *c. 1840, wood, 10" x 7" x 18".*

(opposite)
15 CAMERA OBSCURA. *c. 1760, anon., [Diderot et d'Alembert] etching, 6½" x 11¼".*

PLATE XXXI.   Facing Camera Obscura

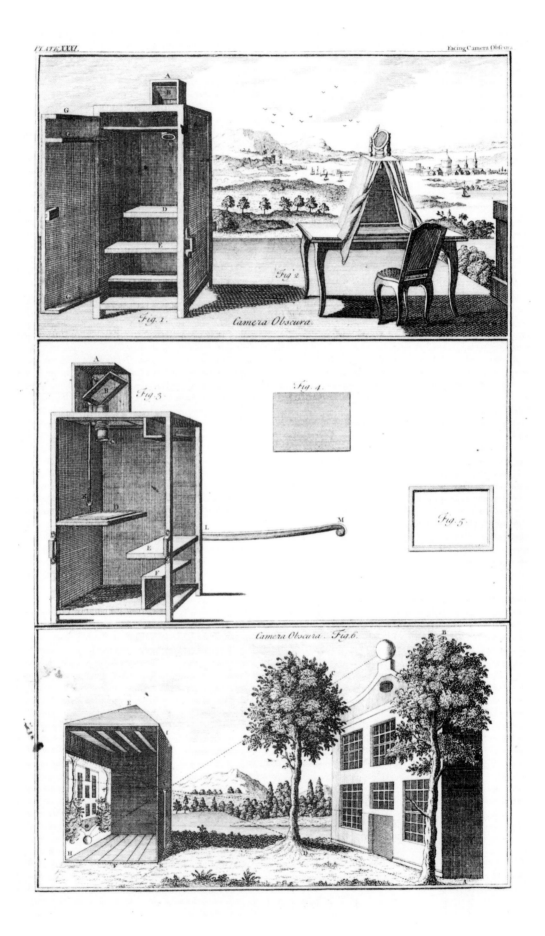

Fig. 1.   Camera Obscura.

Fig. 2

Fig. 3.   Fig. 4.   Fig. 5.

Camera Obscura. Fig. 6.

instead, there was a viewing hole in the front of the box. Marggraf used motifs from the theatre to create views. His work led the way to the further development of the peepshow, and had a profound impact on changing the sense of the theatrical stage proscenium.

Though some acknowledge these mechanisms as the beginning of the peepshow, some turn their attention instead to a small group of Dutch painters who worked during the middle of the 17th century. Two of these artists, both students of Rembrandt, Carel Fabritius (1622-1654) and Samuel van Hoogstraten (1627-1678), are also credited with the invention of the peepshow. There is some dispute as to what to call their early boxes. Peepshow seems an adequate generic phrase, and yet art historians seem interested in making a further distinction—perhaps not impressed by the subsequent, more coarsely constructed boxes. They refer to these early boxes as perspective boxes, attributing this name to a phrase actually employed by Hoogstraten when describing his own creation, which he labeled perspectyfkas.[5]

Seven of these boxes are documented, and all are in museums.[6] What is remarkable about them is that they create the illusion of items occupying space through the use of mirrors and painting on the bottom and sides of the box. The viewer is forced to enter the space by looking through a predetermined hole which creates the point of perspective. The paintings had to be very well done to create the desired illusion, and both Hoogstraten and Fabritius seemed up to the task. It is difficult to imagine how impressive these boxes are without seeing them. The Small Dutch Room executed by Hoogstraten is on view at the National Gallery in London. It is an extraordinary piece. It sits in the center of a small room. On entering the room one is struck by the box itself, painted on three sides with allegorical images and adorned with an anamorphic painting on the top. The box is open on one side allowing the entrance of light and a non-distorted view of the interior. Better is the view from the peep holes in two opposite corners of the box. The room comes to life. The dog, ingeniously painted on the floor and up one side of the wall, sits up; a chair, similarly painted, appears three dimensional; flat space seems curved; paintings appear on walls seemingly from nowhere; and a roof painted on two surfaces takes on a three dimensional appearance. One is treated to

In sta cassela mostro el Mondo niovo
Con dentro lontananze, e prospetive;
Vogio un soldo per testa; e ghe la trovo.

The text below the peepshow translates:

"This box doth pleasant sights enclose
And landscape and perspective shows
Of every varied sort,
A penny is the price I ask
For the execution of my task,
And I get a penny for't."

16 UNTITLED. *1785*, anon.,
    after Gaetano Zompini, 7" x 10".

two quite different views from the two different vantage points. The mix of optical illusion and artistic talent combines to create a very powerful impact.

Artists employed differently shaped boxes to create their illusions, including some rectangular boxes with holes in more than one side, and even one triangular box. John Evelyn, the English diarist, wrote about such a box in 1656, marveling, "It was shown me a pretty perspective and well represented in a triangular box, the Great Church of Haarlem in Holland, to be seen through a small hole at one of the corners and contrived into a handsome cabinet. It was so rarely done that all the artists and painters in town flocked to see and admire it."[7]

The keen interest in playing with perspective in such a manner seems to have been limited to a relatively short span of no more than thirty or forty years. The one notable exception was a show box created by the famous English painter Thomas Gainsborough in 1780. Gainsborough created a box for viewing transparent paintings on glass.

As artists' interest in perspective boxes waned, the device somehow moved quickly into the realm of popular entertainment. Wolfgang Born, one of the most serious writers on the subject of early perspective boxes, bemoaned the demise of interest, writing, "Thereafter the peep-show deteriorated. From the status of a scientific toy made to minister to the curiosity of the educated wealthy, it sank to the level of a children's entertainment, wherein might be seen foreign countries, the marvels of nature and representations of historic happenings."[8] As early as 1719, art historian Arnold Houbraken, referring to peepshows, stated, "Only rubbish is made nowadays in that genre."[9]

The development of the peepshow was not limited to the West. The Chinese and Japanese were considering perspective, although their methods of rendering perspective followed rules opposite to those of western perspective. It is claimed that as early as the 16th century, the Japanese encountered, via visitors from Portugal and Spain, the Western artistic methods of rendering vanishing point and shading. By the 17th century German Jesuits such as Aden School von Bell, trying to bring Christianity to China, were carrying with them instruments of science which may well have included peepshows. Nevertheless, it wasn't until the 18th century that these ideas took some root.

The influence of Western perspective is reflected in part in a particular subset of Japanese ukiyoe, known as floating pictures, not to be confused with the larger generic title of "floating world" to which the word ukiyoe refers. These floating pictures actively incorporate the Western methodology of the vanishing point. According to the Japanese journal, *Gei-en Nissho*, there is a record in the Chinese Ch'ing Dynasty, in 1683, of an optique and optique pictures called "perspective pictures". By 1718 there is commentary in Japan that, "One must see the devilish pleasure of the peeping machine for a sen (1/100 of a yen). One can have a thousand gold pieces worth of play."[10] The Japanese connected many of these early machines with the West, and particularly Holland, referring to the optiques as "Holland Machines" and the prints as "Red Hair Ukiyoe."

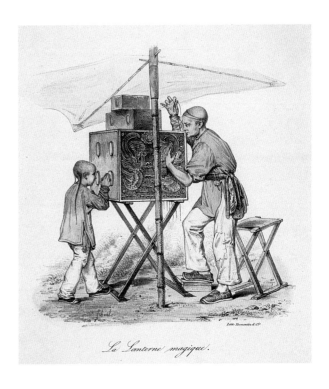

17   LA LANTERNE MAGIQUE. *c. 1830*, Schoal, *colored lithograph, 7½" x 8½".*

O. Rare Show

One of the earliest forms of popular entertainment with which the peepshow was in competition was the cabinet of curiosities or curiosity box. A known displayer of the cabinet of curiosities was James "Jemmy" Laroche (pl. 18). Born around 1688 Laroche was a child singer and actor. Part of his popularity is reputedly based on a ballad about the Raree-show, played to the music of a violin, which included:

Here's de English and French to each other most civil,
Shake hands and be friends, and hug like de devil!
*   O Raree-show, O Brave Show, O Pretty Show,*
*   See My Fine Show, O Raree-show,*
*   See My Pretty Show*
Here be de Great Turk, and the great King of no land,
A galloping bravely for Hungary and Poland
*   O Raree-show, O Brave Show, O Pretty Show,*
*   See My Fine Show, O Raree-show,*
*   See My Pretty Show*

(opposite)
18   O RARE SHOW. *c. 1710*, I. Smith
        after H. Cerk, mezzotint, 9″ x 12″.

19   LA CURIOSITE. *c. 1770*, Noel le Míre
        after Reiner Brakenburg, etching, 15¼″ x 12″.

LA CURI-   OSITE.

These cabinets represented an early form of collecting and graced many a nobleman's home. Such cabinets were the basis for some of the earliest museum collections. They also became another variety of street entertainment. Sometimes, as was the case with peepshows, they were referred to as rare, or raree shows, but these boxes differ from peepshows in that what they offer the public is not hidden views but clearly visible items. The showmen displayed various items, which might include religious relics, coins, medals, fossilized skeletons, historic souvenirs, combs, fans, or a variety of other antiquities, while talking about them. There must have been a substantial trade in such items. Richard Atlick, in his book *The Shows of London*, notes a shop in Paris called "Noahs-Arke, where are to be had for money all the Curiosities naturall or artificial imaginable, Indian or European, for luxury or Use, as Cabinets, Shells, Ivorys, Purselan (porcelain), Dried fishes, rare Insects, Birds, Picturess, & a thousand exotic extravagances."[11]

20   UNTITLED. *c. 1830,* anon.,
      hand-colored lithograph, 7″ x 5″.

      (opposite)
21   UNTITLED. *c. 1840,* anon.,
      colored wood engraving, 5″ x 7″.

Now let us return to the peepshow, and turn our attention to the showmen and their machines. Imagine the peepshow, sometimes grand but more often than not quite plain, being pushed in a cart or carried by a wandering savoyard from village to village. Many of the early showmen came from northern Italy, and as they spread across Europe their cry could be heard, "Chi vuol veder il Mondo Nuovo (Who will see the new world)?" So, imagine these itinerant showmen, humbly attired, selecting a likely spot and using a musical instrument, if not exactly music, to gather a crowd. P.T. Barnum, one of America's great showmen, when confronted with information that the band he had supplied for free entertainment in front of his museum was not very good, is said to have explained that he employed them to draw a crowd, not to play music well enough to keep prospective customers outside the exhibition. These peepshow men must have been first rate storytellers, to be able to convince a not very wealthy citizenry to part with their precious money. There are few chronicles of peepshow men, who by the very nature of their craft were here today and gone tomorrow, leaving only memories.

Old Harry, a showman from the 17th century, captured in Laroon's drawing (pl. 22), is one of the few known and documented showmen. He spent his time wandering around the streets of London, carrying his raree-show on his back, often accompanied by his trained hedgehog, seeking an audience. Here is part of a poem describing Old Harry and his show:

"...His tinkling bell doth you together call,
To see his Rary-Show, Spectators all;
That will be pleased before you by him pass,
To pay a Farthing and look through his glass,
Where every Object that it doth present,
Will please your fancy, yield your mind content!
Objects as strange in Nature as in Number,
Such a vast many as will make you wonder;
That when you do look through his glass you'd swear,
That by one small sight you view'd a whole Fair."[12]

The views, even the scripts, those few that exist, cannot recreate the shows, for the shows were dependent on the showmen and their abilities as storytellers. Could they conjure up an image and make it more powerful than reality, could they free the imagination and let it wander, could they tempt one, even momentarily, to cast aside one's own world and take a glimpse of something grand or frightening, real or fanciful? Could they cast a spell, create an illusion? The box was the backdrop for the storyteller, rather than the other way around.

Dan, introduced to us in *Through Green Glasses*, typifies the showman as a storyteller (pl. 168). Here is a description of Dan:

"It was once my fortune to meet in a southern Irish town a little old man whose mind was a storehouse of strange legendary lore. He was thoroughly illiterate, but he had contrived to pick up a peculiar collection of quasi historical facts and fables...like Æsop of old to retell solemnly to any chance customer.

"Dan, for such was his Christian name, possessed an imagination...All the characters introduced in his legendary yarns thought as Dan thought, acted as he would, and spoke with his own delightful brogue. Dan possessed one quality which atoned for most of his mixed tenses and for all his ill-mated nominatives and verbs—an extraordinary fund of humour."[13]

Truth or historical accuracy may not have been of overwhelming importance to many showmen. Hyperbole, the art of stretching the truth, or for that matter creating a truth, was not beyond the showman, as indicated by Dickens' reference to a show at a fair, "A Peep-show which had originally started with the Battle of Waterloo, and had since made it every other battle of later date by altering the Duke of Wellington's nose, tempted the student of illustrated history."[14]

(opposite)

22   OH RAREE SHOE, RARE CHOSE A VOIR, CHI UUOL UEDER MERANIGLIE. *1821, Pierce Tempest after Marcellus Laroon, engraving, 6" x 8½".*

22

Oh Raree Shoe

Rare chose a voir

Chi uuol ueder merauiglie

Mauron delin:

P Tempest exc
Cum privilegio

There were really two types of peepshows and their differing construction needs to be understood. The first had depth as an important characteristic. This was needed because there were viewing holes in front, in which a lens was included. The view or views were located somewhat farther back in the instrument. There might be a proscenium of sorts in the box for framing the view. The box would have some sort of transparent top for light, or a flap or cover, which, when lifted, allowed some light directly onto the image. One could substitute candle light in the box and create impact with the yellowish light thrown off from candles in a confined space. Such boxes had a venting chimney to release the smoke. Many also had a second opening in the rear to allow for back lighting a print and creating the effect of a night view. Also, there was the possibility of using candles behind the print to create the same effect. Additionally, many peepshows, including several illustrated in this book, had a series of strings on the side. These strings were attached to the images themselves, often by using little eye hooks and tape connected to the top of the print, and allowed the showman to manipulate the views. By pulling or releasing a string the showman could lower or raise an image into a holding area located either below or above the central viewing area. These boxes were also capable of displaying multiple images, and some even utilized hand cranked mechanisms to change images on a roller.

23   BOÎTE D'OPTIQUE. *c. 1820,*
painted wood, 21" x 25" x 15".

24   OPTICIAN. *c. 1820,* anon.,
engraving, 2" x 2".

(opposite)
25   INTERIOR VIEW OF PEEPSHOW. *Plate 29.*

26   PEEPSHOW. *18th century,*
wood, 19" x 13½" x 11".

27   IBID. *Extended, 19" x 13½" x 37½".*

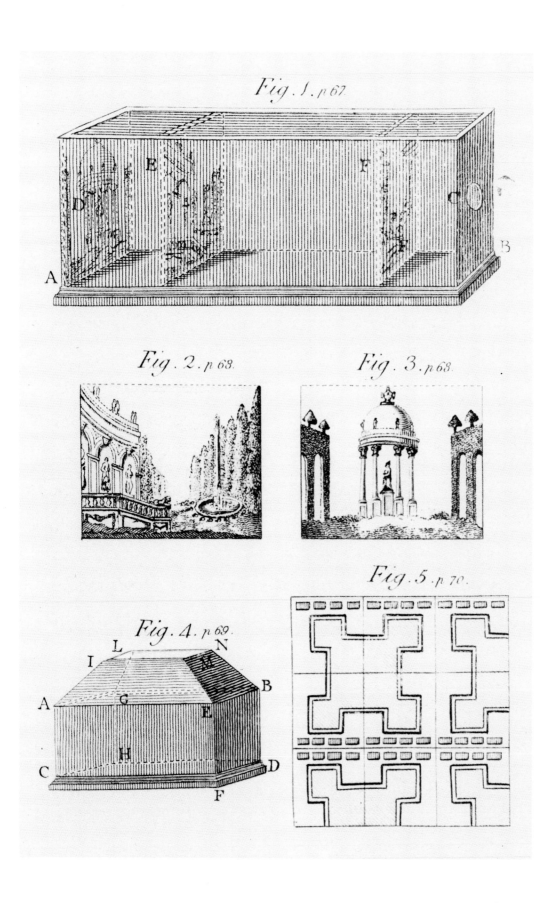

28   THE BOUNDLESS GALLERY. *1787*, anon., *[William Hooper]*,
      engraving, 3¾" x 5½".

The second type of peepshow, more commonly called the boîte d'optique, often had more height than depth, using a combination of a viewing lens in front, and a mirror placed at a forty-five degree angle. One looked through the lens to the mirror, and the eye was redirected downward toward the view or views. Such boxes might have prosceniums and might accommodate the viewing of several layered images, but had no mechanism for mechanically changing views.

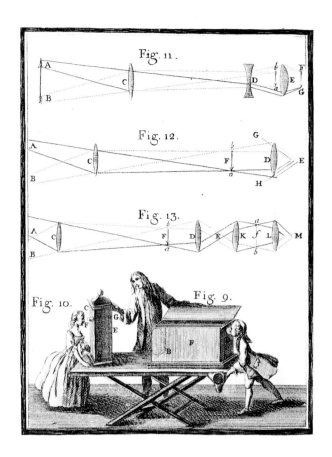

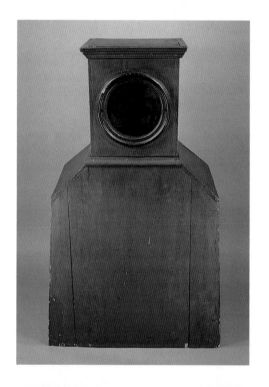

29 BOÎTE D'OPTIQUE. *c. 1800,*
   painted wood, 20½" x 34" x 14".

30 INTERIOR VIEW OF BOÎTE D'OPTIQUE. *Plate 26.*

   (above)
31 UNTITLED. 1777, anon., *[l'Abbe Jean Antoine Nolett],*
   engraving, 4¼" x 5¾".

With the popularity of these viewing machines came the large scale production of views. Although there were some images made exclusively for the sort of peepshow without a reflective mirror, most of the views which most commonly were referred to by their French name vue d'optiques could be used with the zograscope, with perspective boxes, or with peepshows. These perspective views appear to have been produced over a period of nearly a hundred and fifty years (1690-1840), with the greatest production during the period of 1740-1790. We know of at least six centers of production: London, where a small group of firms such as R. Sayer, H. Overton, Laurie & Whittle, and Bowles produced high quality prints; another center in Paris, where the trade was clustered in Rue Saint Jacques, and where the print quality was reputed to be somewhat lower; in Bassano, Italy, where the trade was dominated by the Reondini family; Augsburg, center of German books and prints (and where Marggraf's first peepshow clocks were made); Amsterdam; and Vienna, where many images by Hieronymes Loschenkohl were produced.

A strikingly similar format seems to have arisen in all six centers, allowing for the exchange of images between areas and undoubtedly liberal copying of each others' work. All the images were horizontal, and a standard European size of 18" by 12" (45.7 x 30.5 cm.) emerged.

Although the images, made from copper plate engraving, were the result of a similar technology, there were differences in the materials used for prints. Most perspective views were printed on thin paper, while similar views that had to stand the wear and tear of public shows seem to have been printed on heavier, stiffer board. There were two types of prints: standard ones, and those prints which had holes, cut outs, or perforations. Certainly the most common were the former. They were used for unaided viewing, as well as with a viewing machine such as the zograscope or the more fanciful perspective boxes. Much more interesting were those prints which bore pinpricked perforations. When viewed from the front with direct light these images appeared as "normal". They were transformed when aided with backlighting. Through a variety of methods, such as the use of colored paper, colored paints, or varnishes, the gaps or holes were covered on the back, and when the image, now nestled in the viewing box, was backlit, a different and often spectacular effect was created. Most commonly, lights in windows seemed to shine, and the daylight scene seemed to have reappeared at night. The notion of transformation was utilized more and more to create greater illusions.

It wasn't long before this form of popular public entertainment was made available for home use. First came the miniaturization of the peepshow. Some quite famous engravers, probably none more famous than Martin Engelbrecht, made engraved sets of small parlor-sized peep show views. There were a number of these sets, the preponderance of which seem to have been produced in Augsburg during the period between 1740-1790. Generally, the sets contained six or seven views, which when put together in a viewing box created a complete view with depth. The last view was the background, and the first a sort of proscenium, with each successive view containing more information to create the total view. These sets varied widely in subject, and included religious subjects, festivals, fairs, hunts, battles, scenes at sea and the theatre. There was variation in the sizes of the sets, which corresponded to the varying sizes of the machines.

BATAILLES DE WURTCHEN ET BAUTZEN

By the last quarter of the 18th century such popular books as Hooper's *Rational Recreations* were featuring illustrations and instructions on how to construct such boxes for parlor entertainment. In describing how to construct a peepshow, which Hooper calls the boundless gallery, (pl. 28) he concludes as follows:

"... the objects on the inside of the box, ...painted on both sides, they are successively reflected from one mirror to the other; and if, for example, the painting consists of trees, they will appear like a very long vista, of which the eye cannot discern the end: for each of the mirrors repeating the objects, continually more faintly, contribute greatly to augment the illusion."[15]

33 VIEW OF THE MOSQUE OF THE SULTAN MECHINET ET DE SALIN, CONSTANTANOPLE. *18th century*, anon., *hand-colored engraving, 18" x 12".*

34   ROME IN ITS ANCIENT SPLENDORS. *18th century*, anon., *hand-colored engraving, 18" x 12".*

35   PROSPECT DER LONDON SCHENCKE, GERGEN DER ALLEE ZU GOTTINGEN. *18th century*, anon., *hand-colored engraving, 18" x 12".*

By the 1820's engravers started to put sheets
together to create accordion-like peepshow souvenirs
commemorating historical events and celebrations.
These toys were joined by such other variations on
the theme as polyrama panoptiques, the megalethas-
cope and alabaster peep eggs. There was
also competition from the diorama, panorama and
cosmorama. By the end of the 19th century the traveling showmen had largely abandoned the streets of
the cities, and were only occasional visitors to out-of-
the-way towns and villages.

36   PEEPSHOW. *18th century,
wood, 7½" x 16½" x 5¼".*

(left)
37   PEEPSHOW. *18th century,
wood, 5¾" x 6¾" x 17".*

38   INTERIOR VIEW OF PEEPSHOW. *Plate 37.*

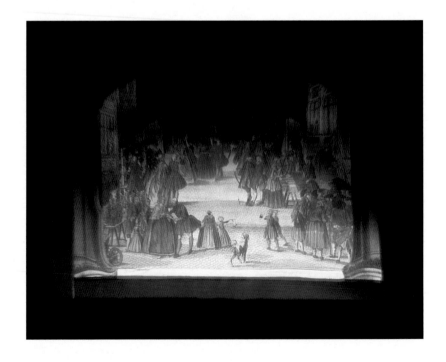

39   INTERIOR VIEW OF PEEPSHOW. *Plate 36, opposite page.*

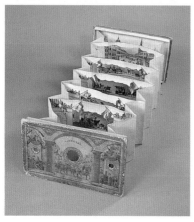

40   INTERIOR VIEW OF PEEPSHOW, CARNEVAL. *Plate 41.*

41   PEEPSHOW, CARNEVAL. *c. 1830,*
           hand-colored lithograph, 9" x 5½" x 23".

42   POLYRAMA PANOPTIQUES. *c. 1850,*
wood and paper, 6" x 5" x 5", 8½" x 7" x 6", 10" x 9" x 6½".

43   CONICAL POLYRAMA PANOPTIQUES. *c. 1850,*
tin, left, 3½" x 6", right, 4¼" x 7".

44 TOY BOITE D OPTIQUE. *c. 1820,*
    wood and paper, 3¾" x 12½" x 3½".

45 IBID.

46 PEEP-EGG. *c. 1880,*
    alabaster, 2" x 5".

47 INTERIOR VIEW OF PEEP-EGG. *Plate 46.*

What was left of the peepshow? Largely it changed from a transportable to a stationary item. The peepshow itself had moved to fairgrounds and coastal piers. The mutascope was one of the last of a series of updated peepshows which appeared at the very end of the l9th century, in to which one could pay a penny and take a peep at the latest movie or a dancing girl. Many of the pioneers of the movies played with viewing images in closed boxes, before moving to projecting their images onto screens. Thomas Alva Edison, America's great inventive genius, had worked at creating movies, but was concerned about the commercial potential and technical quality of projecting images on a screen.[16] So in 1894 his first movies appeared publically, not on a screen but in a peepshow like device the Kinetescope, viewed by one person at a time.

The history of the peepshow during the 20th century is not illustrious. Unable to compete effectively with movies the peepshow seemed to find an audience through the display of erotic and pornographic images. So, today, we are still left with the word peepshow, still a powerful, evocative phrase, able to conjure up strong images, but seemingly having little to do with its antecedents.

48 MEGALETHOSCOPE. *c. 1865*,
    wood, 13″ x 22″ x 33″.

49 BENEDICTION OF THE POPE, ROME.
    c. 1865, anon., *albumen, 14″ x 10″*.

50 BENEDICTION OF THE POPE, ROME.
    "Nightview" of plate 49.

What remains as a documentation of the peepshows of the 18th and 19th centuries is not primarily the devices themselves, but images of them. By the middle of the 18th century as the peepshow became a familiar pastime, its depiction also became part of popular culture. The peepshow and its customers became a subject for artists of the time. Images, both romantic and satirical, of these showmen, their machines and their audiences, abounded. Such renowned artists as Hogarth, Boucher, Tieplo, Longhi, Rowlandson, Cruikshank and Gavarni included the peepshow in their work. The image could be found in books, papers, magazines and prints, as well as on fans, boxes, statues, clocks, tiles and plates. The artistic ability represented by these images varies widely. Whatever their artistic merit, they are full of political and social commentary, they demonstrate the fashions of the day, they offer a glimpse of the richness and variety of street entertainment.

Not surprisingly, these images of peepshows, like the peepshows themselves, have the power to transport us to another time and place, and they both expose a reality and a mystery. Look at one print and there is much to see. Look at all the images, and patterns and commonalities emerge. Three patterns: one about the showmen and their attire, one about their audiences, and one about the relationship between the showman and the peepshow, offer an invitation into the images themselves.

The showmen: people can be placed in time by the clothing they wear, and much about their status and position can be told. It is probable that the best showmen were creative in constructing their costumes to make a positive impression on a potential viewing public. Look at the hats, an important part of the costume. The wearing of hats has become uncommon, but in these pictures one can see how ubiquitous the hat used to be. In almost all the images the showmen are wearing gentleman's hats, although often slightly soiled, slightly askew. Hats were not only a requirement of the time, a social etiquette, but they served the practical purpose of hiding head lice. It is not difficult to tell that the showmen by and large were of humble means.

Next the audience: the most obvious pattern is the preponderance of children. Why is that? Were children the main audience for the peepshow? Some critics of such "debased" entertainment claimed so, but with disposable income limited, did parents spend it mostly on their children? Of course children were part of the viewing public, but it seems unlikely that they represented the main segment for no other reason than that before the Victorian era childhood was not considered a "special time" and children were seen as little more than short adults. What then explains their omnipresence in these images? More likely, it is a device of the artist to conjure up a sense of innocence or wonderment. Interestingly, in many of the satirical prints, children are used to juxtapose innocence against the corruption of the real world, and viewing adults are depicted as gullible or childlike, to be taken advantage of.

51   NOUVELLE LANTERNE MAGIQUE PIÈCES CURIEUSES. *c. 1850*, anon., *tinted lithograph, 9" x 11½".*

Finally, the relationship of the showmen and the machines themselves: look how frequently the showman is depicted pulling strings. Of course, there were strings on most of the machines to allow the showman to alter views, so perhaps the artists were primarily concerned with historical accuracy. On the other hand, perhaps they could not resist the temptation of using such a powerful visual cue to signify the showman as the central figure. By pulling strings, the showman creates and shapes reality. Pulling strings, a richly evocative phrase, traces its history back to early puppeteering, but could easily apply to the peepshow and its showmen. They were manipulating reality and us by their pulling of strings.

What other patterns emerge depend on you, on your perspective and your ability to see beyond a flat surface. Consider approaching the peephole on any page and peeking inside, looking beyond the image into a time when mystery and magic could be had for "a ha'penny." Maybe you will recreate a bit of the peepshow experience, traveling outside yourself to another time and place. On the other hand perhaps you will enjoy the images as if you were entering a Japanese garden, the images and their relationships like so many perfectly placed rocks. Consider them and contemplate your own reality.

52   UNTITLED. *c. 1900,* anon., *colored line cut, 3½″ x 5½″.*

53   GEDENK-BOOG TER BEGRAAF-PLAATS
       DER UITGETEERDE ACTIONISTEN. *1720*, anon.,
       etching, 18″ x 13½″.

54   DETAIL. *Plate 53.*

(opposite)

55   SOUTHWARK FAIR. *1733*, William Hogarth, *line engraving,*
       17¾″ x 13½″.

56   DETAIL. *Plate 55.*

Pl. 10

A Table Trian-
quilaires.
B Rosaces.
C Bandeau.
D Triglyphes.
E Boucher.
F Bassin de
sacrifice.
G Squelette de
victime.

Echelle de 5. Modules.

1 2 3 4 5

14 Modules

7. Modules

2. Mo.

Hauteur de l'être 14 Modules.

D   D

A   A   C   A   A

PORTIQUE DORIQue SANS PIÉDESTAL.

Pour faire des Portiques Doriques, il faudra diviser toute la hauteur en 20 parties, l'une desquelles sera le module; et distribuer les largeurs de sorte, qu'il y ait 7 modules entre deux Pilastres, et que chaque Pilastre en ait trois de largeur, et que le vuide soit double de la largeur en hauteur.

Cochin inv.   Charpentier sculp.

46

60 RARITETEN KASTEN. *c. 1750*, Heinrich Rode
    after Bernhardt Rode, etching, 8" x 11½".

61 UNTITLED. *c.1750*, Paul Sandby, *etching, 3" x 3".*

62   FOIRE DE CAMPAGNE. *c.1750*, Cochin, *fils,*
     after François Boucher,
     stipple and line engraving, 16″x 13½″.

63 PALACE OF VERSAILLES. *18th century,*
    anon., *hand-colored engraving,*
    18" x 10½".

64 PALACE OF VERSAILLES. *Detail, plate 63.*

    (opposite)
65 VUE DE LA PLACE DE L'HOTEL DE VILLE.
    18th century, Guiguet *after Courvoisier,*
    hand-colored engraving, 18" x 12".

66 VUE DE LA PLACE DE L'HOTEL DE VILLE.
    Detail, plate 65.

VUE DE LA PLACE DE L'HOTEL DE VILLE

67   VUE DU CHATEAU DE VINCENNES DU CÔTÉ
      DE L'ENTREE.
      18th century, anon., *hand-colored
      engraving, 18″ x 12″.*

68   PORCELAIN GROUPING. *c. 1760, moulded by* Etienne Falconet
after F. Boucher, porcelain, 6¼" x 6" x 6½".

69 PORCELAIN GROUPING. *c. 1850,*
maker's stamp JP (Jacob Petit),
porcelain, 10" x 9" x 8".

70 PORCELAIN GROUPING. *c. 1850,* anon.
porcelain, 6" x 7" x 5".

71 THE POLITICAL RAREE-SHOW:
    OR A PICTURE OF PARTIES AND POLITICS,
    DURING AND AT THE CLOSE
    OF THE LAST SESSION.
    1779, anon., etching, 13½" x 8½".

of PARTIES and POLITICS, during and at the close of the Last Session Parliament. June 1779.

Youthful Entertainment.

Oh. You ſhall See, Vat you ſhall See.

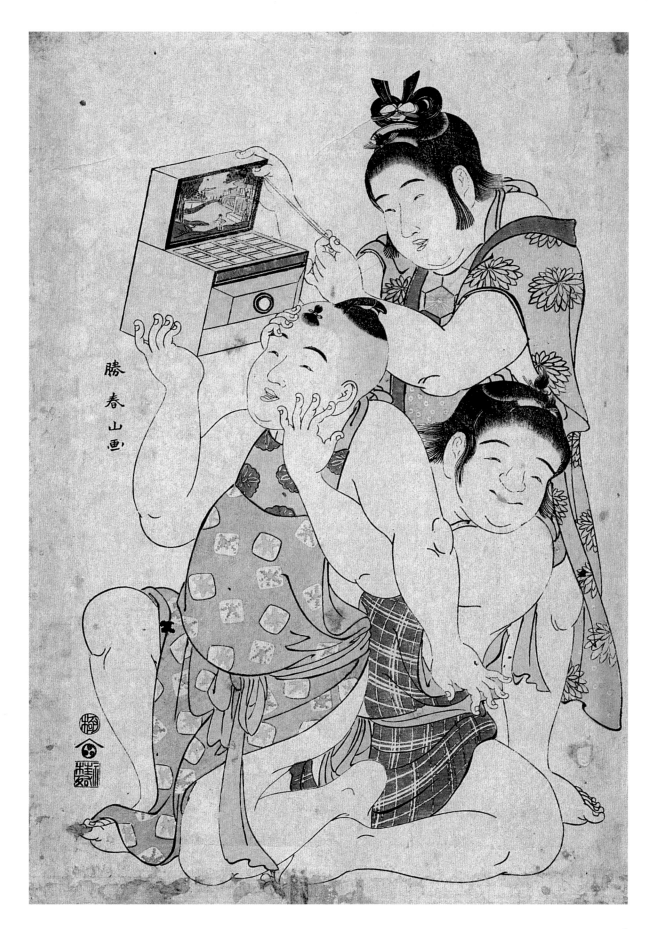

Optique
Renomée

Dessiné par Schenau.

Gravé par H. Guttenb.

A Paris chez Dennel Graveur rue du P.t Bourbon attenant la Foire St Germain.

(opposite)

76 OPTIQUE RENOMEE. *c.1770*, H. Guttenberg
after Johann Eleazan Schenau, engraving, 5¾" x 7½".

77 HET COMMITTE VAN BUITELANDSCHE ZAAKEN. *1796*,
David Hess, *etching painted in red ink, 11" x 14½".*

78 THE PEEP SHOW. *1789,*
Francesco Bartolozzi
after Francis Wheatley,
mezzotint, 9½" x 9½".

79 THE PEEP SHOW. *c.1800,* anon.,
engraving, 7" x 6".

81   PERTEN EN GRAPPEN DER JONGHEID. *18th century,* anon.,
hand-colored (stenciled) wood engraving, 11½" x 14".

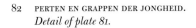

82   PERTEN EN GRAPPEN DER JONGHEID.
      Detail of plate 81.

83   PEEPSHOW. *c.1830*, anon., *hand-colored (stenciled)
      wood engraving, (detail) 1½" x 2".*

      (below)
84   NURNBERG BEI FR. CAMPE. *c.1830*, anon.,
      hand-colored etching, 11½" x 8¼".

Now pray lend your Attention to the Enchanting
prospect before you, This is the prospect of Peace.
only Observe what a busy Scene presents itself.
the Ports are filled with Shipping. the Quays loaded
with Merchandize. Riches are flowing in from
every Quarter this prospect alone is worth all the
Money you have got about you.

Mayhap it may. Master Shewm but I canna
zee ony thing like what you mentions
I zees nothing but a woide plain with some
Mountains and Molehills upont. as sure as a
Gun it must be all behoind one of those?

Licenced by Authority
Billy Hum's Grand
Exhibition of Moveing
Mecanism or Deception
the of Senses

Savings

Pub'd Aug' 15, 1797 by SW Fores 50 Piccadilly. Folios of Caricatures lent out for the Evening.

Billy's Raree-Show — or John Bull enlighten'd

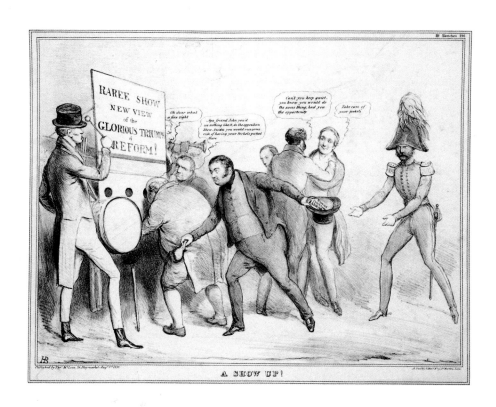

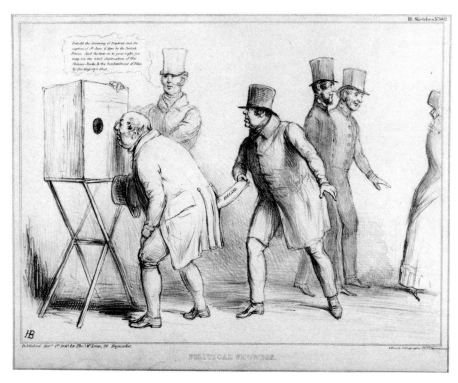

(opposite)

85   BILLY´S RAREE-SHOW—OR JOHN BULL ENLIGHTEN´D. *1797,*
   Charles Williams, *hand-colored etching, 8″ x 12″.*

86   A SHOW UP! *1832,* John Doyle, *lithograph, 14½″ x 11½″.*

87   POLITICAL SHOWBOX. *1840,* John Doyle,
   lithograph, 14½″ x 11½″.

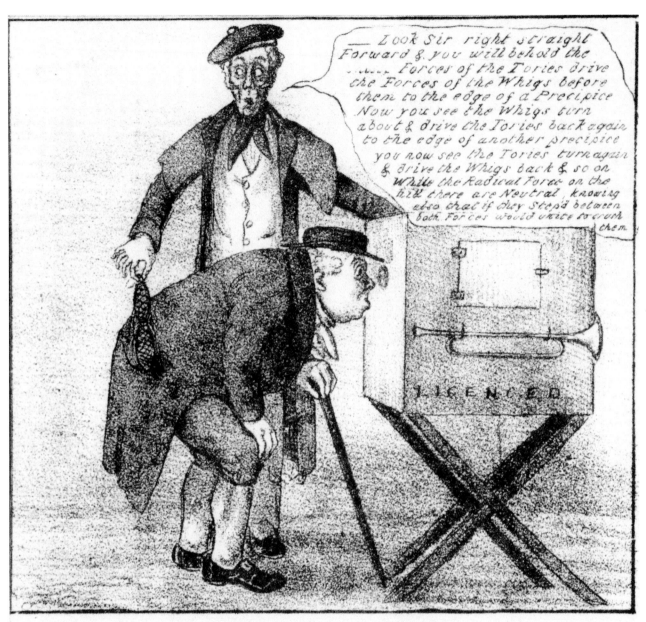

PAYING FOR PEEPING.

88   PAYING FOR PEEPING. *1835*, C.J. Grant, *lithograph, 3½" x 3½"*.

La Boîte d'Optique.

89   OMBRES CHINOISES CARD. *c.1870*, anon.,
      photo relief line cut, 5¾" x 2".

90   LA BOITE D'OPTIQUE. *c.1920*, Maggie Salcedo,
      colored lithograph, 4¾" x 4½".

The Peep-show.

91   A MAN WITH A RAREE-SHOW. *1799*, Dadley *after Pu-Quà, colored stipple engraving, 8″ x 7⅜″.*

92   THE PEEP-SHOW. *c.1850*, anon., *wood engraving, 4¾″ x 4½″.*

93 MEN OF CHINA, A MAN WITH A RAREE-SHOW. *c.1820*, anon.,
colored lithograph, 7¾" x 8".

(opposite)

94 THE HALFPENNY SHOWMAN. *1805*, William Henry Payne,
    hand-colored acquatint, 9½″ x 13″.

95 HYDE PARK CORNER: A SHOWMAN. *1804*, anon.,
    hand-colored engraving, 4¾″ x 6″.

The Showman

96 THE SHOWMAN. *1806,* anon., *after Thomas Rowlandson, hand-colored etching, 7¼″ x 10″.*

97   UNTITLED. *c.1800*, T. Rowlandson,
     hand-colored engraving, 1½" x 12".

98   UNTITLED. *c.1800*, T. Rowlandson,
     hand-colored etching, 2¾" x 2¼".

99   RAREE SHOW. *c.1820*, T. Rowlandson,
     hand-colored etching, 2¾" x 41/2".

(opposite)

100   LA LANTERNA MAGICA. *1809*, Bartolommeo Pinelli,
        colored engraving, 11½" x 8¼".

101   UNTITLED. *c.1820*, anon., *pen and ink, 10" x 6½".*

102   LA LANTERNA MAGICA. *1815*, B. Pinelli,
        colored engraving, 11" x 8½".

A BUNDLE OF TRUTHS.

103   A BUNDLE OF TRUTHS. *1811*, anon., *etching, 8½" x 6½".*

104   UNTITLED. *c.1840*, anon., *wood engraving, 2¼" x 2".*

105 JAMIE THE SHOWMAN. *1823*, Thomas Hodgetts *after*
Robert Edmonstone, *hand-colored mezzotint, 14½" x 18".*

106 LA LANTERNE MAGIQUE. *c.1820,* anon.,
     hand-colored etching,
     10" x 7½", two pages shown above

(opposite)

107 DETAIL. *Plate 106.*

108 RAREE-SHOW. *c.1800,* Thomas L. Busby,
     hand-colored etching, 3½" x 5".

109 THE RUINS OF FAIRLOP OAK. *c.1805,*
     John Peltro *after Humphrey Repton,*
     etching, 2¾" x 2½".

La Lanterne magique

RAREE-SHOW

110   UNTITLED. *c.1830*, anon., *hand-colored etching, 6½" x 4½"*.

111   UNTITLED. *c.1820*, J. Baptiste, *lithograph, 7" x 5½"*.

112   CECI VOUS REPRESENTE. *c.1820*, François Grenier,
lithograph, 6" x 8".

La Lanterne magique

(opposite)

113   LA LANTERNE MAGIQUE. *c.1820, anon.,*
      hand-colored etching, 4" x 5".

114   DETAIL. *Plate 115.*

115   THE CRIES OF LONDON. *c.1820, anon.,*
      hand-colored etching, 15" x 2".

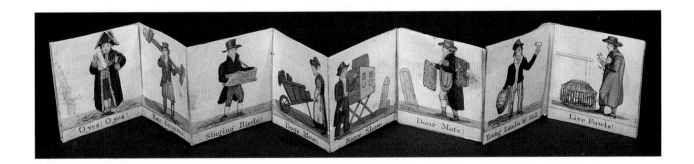

THE CRIES OF LONDON

Knives to Grind! | Hot Crofs Buns. | Old Chairs to mend. | Young Rabbits! | Milk below mai[...]

Hat or Bonnet Box. | Sweet China Oranges. | Buy a Broom! | Hot Spice Gingerbrea[...] | Come buy my Doll[...]

London Gazette. | Matches if you please. | Old Clothes! | Cherries round and soun[...] | Live Fowls!

Oars, or Scullers! | Green and large Cucumbers. | Fine Images. | Sweep! Sweep! | Work Baskets.

Raree Show. | Hot Muffins. | O yes! O yes! | Past Ten o'Clock! | Oysters a penny a l[...]

Sweet Lavender. | Bean Pots. | Golden Pippins. | Live Eels! | Shoe Black.

The following are the labels within the puzzle image:

Forty a penny Radishes | Dust 'ho! | Hair Brooms!
Mutton Dumplings. | Nice young Watercresses | Sixpence a peck Peas!
Pots and Kettles to mend | Buy a Doll's Bedstead | Dogs Meat!
Sixpence a Pottle Strawberry | Sweet Primroses. | Young Lambs to Sell,
Sheet Almanack. | Shoe Strings! | Toasting Forks.
Door Mats! | Singing Birds! | Brick Dust.

116   THE CRIES OF LONDON. *c.1825*, anon., *wood puzzle, hand-colored etching mounted on cardboard, 15" x 12".*

DIABLERIES.

(opposite)
117   DIABLERIES. *c.1840*, Eugène Le Poittevin,
       lithograph, 15½" x 12".

119   UNTITLED. *c.1840*, Eugène Hippolyte Forest,
       lithograph, 8¼" x 9".

118   DETAIL. *Plate 117.*

120 SERGEANT BELL AND HIS RAREE-SHOW. *1848,* anon.,
      wood engraving, 2″ x 2½″.

121 SERGEANT BELL AND HIS RAREE-SHOW. *1854,* anon.,
      wood engraving, 2½″ x 2″.

(opposite)
122 UNTITLED. *1851,* F.F., *graphite on paper, 3¾″ x 5½″.*

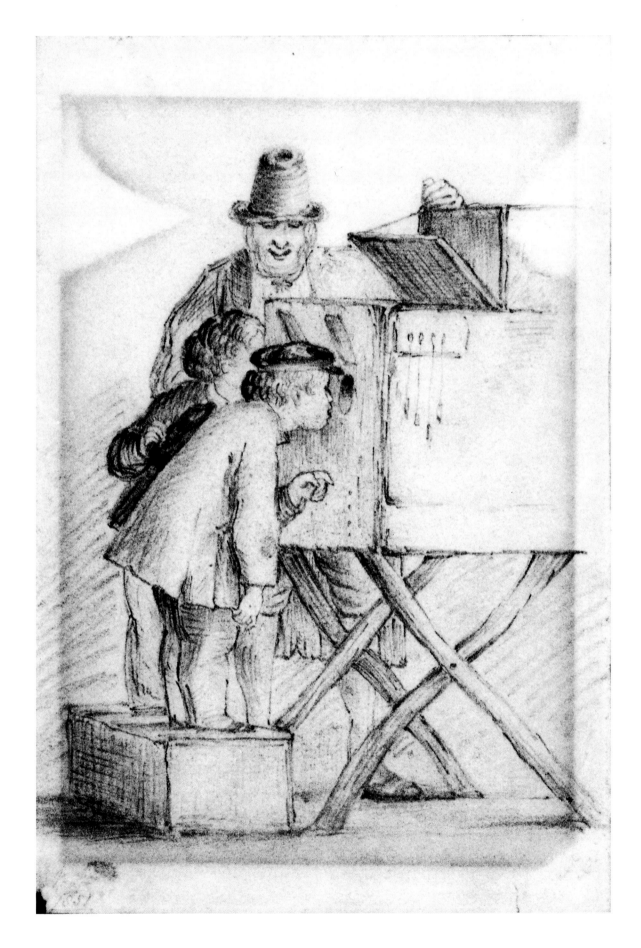

THE MINISTERIAL CRISIS.

Optique à l'usage et l'instruction de la Jeunesse.

Ceci vous représente M^{rs} et Dames une scène du carnaval de Vénise.

127 CHEROOT CASE. *c.1860*, anon.,
     hand-painted paper mache, 3½″ x 2½″.

128 DELFT TILE. *c.1840*, anon., *ceramic, 5¼″ x 5¼″.*

129 DELFT TILE. *c.1840*, anon., *ceramic, 5¼″ x 5¼″.*

133 AYR: THE TWA BRIGS. *c.1840*,
Thomas Hingham *after*
David Octavius Hill,
colored steel engraving, 5¼″ x 3½″.

134 THE SHOWMAN. *c.1850*, anon.,
hand-colored etching
in acquatint, 9″ x 7″.

JEFF. AND THE SHOWMAN.

DISSOLVING VIEWS

Showman.—At the end of the Avenue you perceive a white house keep your eye on it and it will dissolve and fade from your view.

136 THE POST-OFFICE PEEP SHOW. *1843*, anon., *wood engraving, 7" x 4½".*

137 JEFF AND THE SHOWMAN. *c.1830*, anon., *wood engraving, 5½" x 3".*

138   DER GUCKKASTENMANN. *1847*, G. Klaus
after Georg Ferdinand Waldmuller, etching, 10" x 8".

140 SIGHTS AT A PEEP-SHOW. *1874*, anon.,
    [Mrs. George Cupples], wood engraving, 2″ x 3″.

141 OPTICAL AMUSEMENTS. *1845*, anon.,
    wood engraving, 2¼″ x 1¾″.

L. Lassalle del.   Lith. de Godard Paris.

108

(opposite)

142 LA LANTERNE CHINOISE. *c. 1850,* L. Lassalle *after F. Boucher, lithograph, 7″ x 9″*

143 UNTITLED. *c.1850,* anon., *watercolor on rice paper, 13½″ x 8½″.*

此中國看西湖景之圖天
下之景無勝之西湖所己
取此為名然操此業者不
一種画有洋京之分章有
大小有羅雙而唱歌者有
指画中景而設白者每庿
塲有十餘不掙錢而己

144 FRENCH MANTLE CLOCK. *c. 1860,
metal, 14½" x 16" x 5½".*

145 METAL FIGURE. *c.1870, LSF maker mark,
base metal, 2½" x 7½" x 4".*

146   FRENCH MANTLE CLOCK. *c. 1860, metal, 15" x 13½" x 6".*

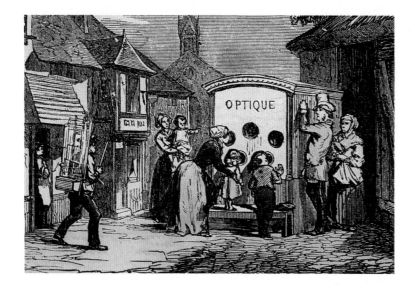

(opposite)

147   STREET SCENE IN PEKIN. *c.1880,*
      A. Marie *after M. Thompson,*
      hand-colored wood engraving, 8½″ x 6″.

148   LA VERRE. *1862,* M. Bioto *after Ed Renard,*
      hand-colored wood engraving, 4½″ x 2½″.

149   RAREE SHOW AT LIN-SIN-CHOO. *c.1880,* G. Pater
      after T. Allom, engraving, 7½″ x 5¼″.

150   LANTERNE MAGIQUE. *c.1860,* Boilly,
      lithograph, 6″ x 4″.

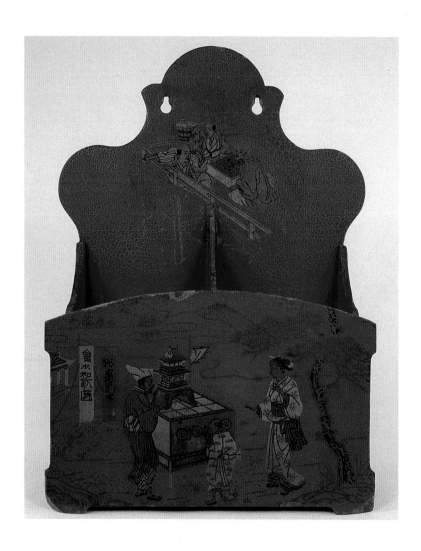

(opposite)

151   HANGING OBJECT HOLDER. *c.1870,*
hand-painted, laquered paper mache, 7" x 18½".

152   HANGING LETTER RACK. *c.1860, hand-painted,*
laquered paper mache, 9¼" x 9".

153   TRAY. *c.1870, hand-painted,*
lacquered paper mache, 9¾" x 7".

154   HANGING MAGAZINE HOLDER. *c.1860, hand-painted,*
laquered paper mache, 11¾" x 14½".

156   UNTITLED. *c.1890*, J. Robie,
     oil on canvas, 18" x 12".

(opposite)
155   DIORAMA DE L'AMOUR. *c.1870*, Jean-Ernest Aubert,
     oil on canvas, 27½" x 37".

157   UNTITLED. *c.1890*, anon.,
     hand-colored photo lithograph, 14" x 9½".

(opposite)

158   STARTLING EFFECTS. *1879*, anon.,
        wood engraving, 5¾" x 8½".

159   SOLDIERS LOOKING AT A SHOW, NEAR CULPEPPER, VA.
        c. 1868, anon. *after Edwin Forbes,*
        wood engraving, 9¼" x 7½".

160   MORNING IN LONDON: A RAREE SHOW. *c.1880*, anon.,
        wood engraving, 4" x 5".

Peep Show.

New York Publishing Co.

THE MILLION

No. 131. Vol. 5.]   FOR THE WEEK ENDING SATURDAY, SEPTEMBER 22, 1394.   [Price One Penny.

THE PEEP SHOW.

167   THE PEEP SHOW. *1894*, H. Tuck, *engraving, 6¾″ x 8″.*

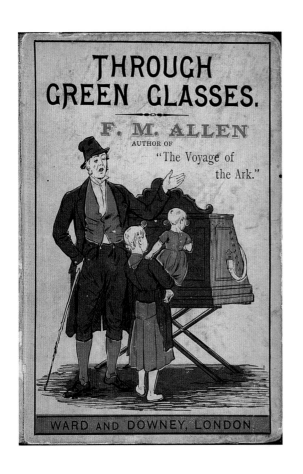

168 THROUGH GREEN GLASSES. *1888, anon.,* book cover *, [F.M. Allen], colored line cut, 4" x 6½".*

169 THE PRETTY MAR-MO-SET. *1875, anon.,* book cover, *[Mrs. George Cupples], 3½" x 5½".*

170 THE PICCADILLY PEEP-SHOW. *1878, anon.,W. Mackay, tinted lithograph, 5½" x 8".*

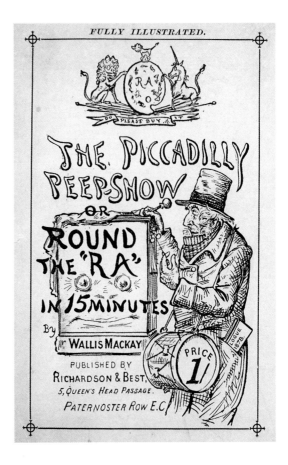

171 ROYAL EXHIBITION. *c.1900*, W. Rainey,
colored relief line cut, 8½" x 10".

172 THE PEEP-SHOW. *1907*, anon.,
relief halftone, 5½" x 8".

(opposite)

173 ONLY A PENNY. *c.1900*, anon. *after H.G. Glindoni,*
colored line cut, 6¼" x 9".

174 DIORAMA. *1869*, anon., *line cut, 5" x 4½".*

175 LE TOUR DU MONDE EN 80 SECONDES. *c.1890,*
wood engraving, 2½" x 4".

176   LANTERNE MAGIQUE DU HIGH-LIFE TAILOR. *c.1900,*
B. Molock, *relief halftone,* 4¼" x 5".

177   POUR VOS BEAUX YEUX. *1901,* A.Guillaume,
hand-colored line cut,
detail from album cover measuring 11″ x 15″.

178, 179   THE SECRET OUT AT LAST. *c.1890*, anon.,
              colored lithograph, 3¼" x 5¼" and opened 4¾" x 5¼".

Footnotes

1. *Laman Blanchard (ed.)*, George Cruikshank's Omnibus, *(London, 1842), p. 188.*

2. *Anon.*, Sergeant Bell And His Raree Show, *(Philladelphia, 1848), p. 13.*

3. *Hermann Hecht*, Pre-Cinema History, *(London, 1993), p. 434, note 715. (quotes Georgio Vasari, the elder 1511-1574).*

4. *Jurgis Baltrusaitis*, Anamorphic Art, *(New York, 1977), p. 34.*

5. *Susan Koslow*, De Wonderlijke Perspectyfkas: An Aspect of Seventeenth Century Dutch Painting, *p.36, footnote 5.*

6. *The seven boxes are:*
   a. View of a Reformed Church, Fabritius, Nationalmuseum, Copenhagen, 1655.
   b. A View of Delft with Musical Instruments, Fabritius, National Gallery, London, 1652.
   c. Views of the Interior of a Dutch House, Hoogstraten, National Gallery, London, 1655.
   d. View of a Catholic Church, Nationalmuseum, Copenhagen, 1660.
   e. View of a Large Room, Museum of Fine Arts, Detroit, 1663.
   f. View of a Voorhuis, Nationalmuseum, Copenhagen, 1670.
   g. View of a Voorhuis, Bredius Museum, The Hague, c.1670.

7. *Susan Koslow, Ibid., p.37 footnote: John Evelyn,* The Diary of John Evelyn, *(London, 1908), p. 188.*

8. *Wolfgang Born*, Early Peep Shows and the Renaissance Stage, part II, *1941, p. 180.*

9. *Karl G. Hulten*, A Peep Show by Carel Fabritius, *p. 288.*

10. Kobe Museum Catalog, *Kobe City, 1984, p. 9.*

11. *Richard Atlick*, The Shows of London, *(Cambridge, Ma., 1978), p.13.*

12. *Handwritten notes in the drawings and print collection, Guildhall Library, "Old Harry, A Famous Raree-Show-Man", from* Curiosities of Biography *edited by Robert Malcolm, (London, 1855), p. 2.*

13. *F. M. Allen*, Through Green Glasses, *(London, 1888), p.1-3.*

14. *Charles Dickens*, Our Mutual Friend, *(New York, 1951), p. 714.*

15. *William Hooper*, Rational Recreation, *(1772), p. 68-69.*

16. *Martin Quigley, Jr.*, Magic Shadows, *(Washington, D.C., 1948), p. 134-136.*

Annotations

Front cover
OH. YOU SHALL SEE VAT YOU SHALL SEE. *1760,*
Simon Francis Ravenet *(1706-1774) after*
Louis Phillippe Boitard; No. 1, The Cries of London,
published by Robert Sayer, Fleet St., London,
hand-colored engraving, 6 ¼" x 8 ½" (15.9 x 21.6 cm.).

1. LA PIÈCE CURIEUSE. *c.1820, Antoine Béranger (1785-1867), lithograph, 6¼" x 8¼" (15.9 x 21 cm.).*
   Cupid puts aside his bow and arrow to assist two young ladies taking a look into the peepshow.

1A. PEEP SHOW MAN. *c.1910, Lance Thackeray,* The People of Egypt, *published by A & C Black Ltd., 4, 5, & 6 Soho Square, London, 1916, 2nd edition, p. 4, letterpress print from pencil drawing, page size 6" x 8¾" (15.2 x 22.2 cm).*
   Lance Thackeray produced two books of drawings about life at the turn of the century in Egypt. Many of the images from The Light Side of Egypt *were turned into magic lantern slides.*

2. NÜRNBERG BEI FR. CAMPE. *Detail, c.1830, anon., hand-colored etching, 1" x 1" (2.5 x 2.5 cm.).*

3. ILLUSIONS DE L'OPTIQUE. *1769, Coutubrier, [Edmé-Gilles Guyot],* Nouveles Récréations Physiques et Mathématiques, *p. 60, hand-colored engraving, 3½" x 5½" (8.9 x 14 cm.).*

4. THE SIEGE OF GIBRALTAR. *1874, anon., reproduction of section from Setchel engraving, [Henry Morley],* Memoirs of Bartholomew Fair, *published by Frederick Warne, and Co., London, wood engraving, 4" x 2" (10.2 x 5.1 cm.).*
   This is a reproduction of an image from an engraving issued by Setchel which was based on a painted fan depicting various entertainments to be found at Bartholomew Fair. It is claimed that the fan was executed in 1721 but, as Morley points out, The Siege of Gilbraltar didn't occur until 1727, so the appearance of the scene in a peepshow is unlikely to have occurred until 1728. Famous historical events, such as battles, quickly made their way to the repertoire of the peepshow.

5. SERGEANT BELL AND HIS RAREE-SHOW. *1839, anon., frontispiece,* Sergeant Bell And His Raree-Show, *embellished with wood cuts, by Cruikshanks, Thompson, Williams, published by Thomas Tegg, No. 73 Cheapside, London, wood engraving, 3½" by 4" (8.9 x 10.2 cm.).*
   In this edition the showman describes Bartholomew Fair as a very dangerous gathering. He describes some of the sights to be seen including, "The Irish Giant, The Chinese Lady and Dwarf, Atkin's Royal Menagerie, the Beautiful Dolphin, the Parisian Troop, the White Negro, The Black Wild Indian, and the Giant Boy. There is the Cannibal Chief, Feats of Legerdemain, Richardson's Theatre, and Wombwell's Caravans, beside Tight-rope Dancing, Tumbling, and a hundred other things." The showman ends this little story saying, "This is the place (his peepshow) where great and small may see a fair without a fall!"

6. THE PEEP SHOW. *c.1740, "William Hogarth" (inaccurate attribution), oil on canvas, 31½" x 25" (80 x 63.5 cm.).*
   A plate on the frame claims the painting, then owned by Lady Burdett Coutts, is by William Hogarth. This is not a credible attribution. It is surprising the Coutts family, well known British collectors, would allow such a claim. Hogarth was interested in the peepshow and his image of Southwark Fair is included in this volume.

7-9. VIEW OF CHURCH OF ST. PETER, VIENNA. *18th century, anon.,*

hand-colored engraving, 18" x 12" (45.7 x 30.5 cm.).
   Typical peepshow image showing both front and back lit views, as well as the back side of the view. Description of scene in both German and Italian.

10.   ZOGRASCOPE. *c.1800, wood, 8" x 22" (20.3 x 55.9 cm.).*
   This device is not unlike the one pictured in L'OPTIQUE *(pl. 13), and was similiarly deployed.*

11.   TOY PANORAMAS. *c.1850, left, wood, 5½" x 4½" (14 x 11.4 cm.); right, paper, 5¾" x 4" (14.6 x 10.2cm.).*
   When assembled these curiously marked panoramas resembled toy zograscopes. Each contained a set of views.

12.   A GENERAL VIEW OF THE CITY OF MADRID. *1794, anon., published 12 May 1794 by Laurie and Whittle, 53 Fleet Street, London, hand-colored engraving, 18" x 12" (45.7 x 30.5 cm.).*

13.   L'OPTIQUE. *c.1790, J.F. Casenave after Louis-Leopold Boilly (1761-1845), hand-colored acquatint, 18" x 21½" (45.7 x 54.6 cm.).*
   This image is probably as well known for the people associated with it as for the representation of a zograscope in use. The child was able to see a print (vue d'optique) by looking through the lens and seeing the image below in the angled mirror. The principles of the zograscope were incorporated in the boite d'optique. Those pictured are presumed to be the second wife and son from the first marriage of the French revolutionary, Georges Jacques Danton.

14.   PORTABLE CAMERA OBSCURA. *c.1840, English, wood, 10" x 7" x 18" (25.4 x 17.8 x 45.7 cm.).*

15.   CAMERA OBSCURA. *c.1760, anon., [Diderot and d'Alembert]* L'Encyclopédie, *(1751-1772), etching, 6½" x 11¼" (16.5 x 28.6 cm.).*
   The print shows a variety of large, even room sized, camera obscuras.

16.   UNTITLED. *1785, anon. after Gaetano Zompini (1700-1778), from Le Arti Citta DiVenezia (The Arts That Went Through The Streets of Venice), No. 55, engraving, 7¼" x 10½" (18.4 x 26.7 cm.).*

17.   LA LANTERNE MAGIQUE. *c.1830, Schoal, lith. by Formentin and Co., colored lithograph, 7½" x 8 ½" (19.1 x 21.6 cm.).*

18.   O RARE SHOW. *c.1710, I. Smith after H. Cerk, mezzotint, 9" x 12" (22.9 x 30.5 cm.).*

19.   LA CURIOSITE. *c.1770, Noel le Míre (1724-1800), after painting by Reinier Brakenburg (c. 1660), etching, 15¼" x 12" (38.7 x 30.5 cm.).*

20.   UNTITLED. *c.1830, anon., Dutch, hand-colored lithograph, 7" x 5" (17.8 x 12.7 cm.).*

21.   UNTITLED. *c.1840, anon., colored wood engraving, 5" x 7" (12.7 x 17.8 cm.).*

22.   OH RAREE SHOE, RARE CHOSE A VOIR, CHI UUOL UEDER MERANIGLIE. *1821, Pierce Tempest after Marcellus Laroon, The Cries of London, plate no. 22, engraving, 6" x 8½" (15.3 x 21.6 cm.).*
   This image would be reprinted and redrawn for more than 150 years. It is based on a print drawn by Laroon, a Dutch artist who moved to England, and contained in an important Cries of London series by Tempest published in 1687. Eight editions would be executed between 1687 and 1821. Laroon named many of the persons depicted in his series of Cries including Poor Jack, Colly Molly Puff, Madame Creswell and Tiddy Diddy Doll. The raree-showman is Old Harry,

a Londoner, who worked mainly in the vicinity of Moorfields.

23.   BOÎTE D'OPTIQUE. *c.1820, painted wood, 21" x 25" x 15" (53.3 x 63.5 x 38.1 cm.).*

24.   OPTICIAN. *c.1820, anon., engraving, 2" x 2" (5.1 x 5.1 cm.).*
   Notice the boîte d'optique sitting on the counter.

25.   INTERIOR VIEW OF PEEPSHOW. *Plates 26 and 27.*

26-27.   PEEPSHOW. *18th century, Dutch, wood, 19" x 13½" x 11" (48.3 x 34.3 x 28 cm.).*
   This portable peepshow was probably used for both parlor and public shows. It folded into an easily portable item, and when set up extended (37½" or 95.3 cm.) for viewing.

28.   THE BOUNDLESS GALLERY. *1787, anon., [William Hooper],* Rational Recreations, *3rd. edition, plate six, engraving, 3¾" x 5½" (9.5 x 14 cm.).*

29.   BOÎTE D'OPTIQUE. *c.1800, Dutch, painted wood, 20½" x 34" x 14" (52.1 x 86.4 x 35.6 cm.).*

30.   INTERIOR VIEW OF BOÎTE D'OPTIQUE. *Plate 29.*

31.   UNTITLED. *1777, anon., [l'Abbé Jeane Antoine Nolett],* Lecons de Physique Experimentale, *Tome. V., XVII Lecon, pl. 7., p. 550, engraving, 4¼" x 5¾" (10.8 x 14.6 cm.).*

32.   BATAILLES DE WUNTCHEN ET BOUTZEN. *18th century, anon., hand-colored engraving, 18" x 12" (45.7 x 30.5 cm.).*

33.   VIEW OF THE MOSQUE OF THE SULTAN MECHINET ET DE SALIN, CONSTANTINOPLE. *18th century, anon., hand-colored engraving, 18" x 12" (45.7 x 30.5 cm.).*
   The description of this scene is in Latin, French, Italian and German. Often such views carried descriptions in many languages expanding their appeal.

34.   ROME IN ITS ANCIENT SPLENDORS. *18th century, anon., hand-colored engraving, 18" x 12" (45.7 x 30.5 cm.).*

35.   PROSPECT DER LONDON SCHENCKE, GERGEN DER ALLEE ZU GOTTINGEN. *18th century, anon., hand-colored engraving, 18" x 12" (45.7 x 30.5 cm.).*
   This is a view of the "London pub" in the central German university town of Gottingen.

36.   PEEPSHOW. *18th century, Dutch, wood, 7½" x 16½" x 5¼" (19 x 41.9 x 13.3 cm.).*

37.   PEEPSHOW. *18th century, Dutch, wood, 5¾" x 6¾" x 17" (14.6 x 17.2 x 43.2 cm.).*

38.   INTERIOR VIEW OF PEEPSHOW. *Plate 37.*

39.   INTERIOR VIEW OF PEEPSHOW. *Plate 36.*

40-41.   PEEPSHOW, CARNEVAL. *c.1830, French, hand-colored lithograph, 9" x 5½" x 23" (22.9 x 14 x 58.4 cm.)*
   This three hole accordion-style peepshow ontains six panels depicting a colorful French fair. The main hole shows many horses and carts while the smaller side holes reveal walkways and families strolling. These folding peepshows, often called telescopic views, were like peep-eggs, popular souvenirs commemorating important occasions or popular sites.

42.   POLYRAMA PANOPTIQUES. *c.1850, wood and paper, 6" x 5" x 5", 8½" x 7" x 6", 10" x 9" x 6½" (15.2 x 12.7 x 12.7, 21.6 x 17.8 x 15.2, 25.4 x 22.9 x 16.5 cm.).*
   All three viewers were made in France and were popularly considered miniature dioramas. They employ the same principles as the peepshow. The views, cleverly produced, often created two different views. One view was seen when the flap

on top was opened to allow light directly on the view. When the top was closed and the back was opened the image was backlit, exposing what was printed on the back, and a night view of the same scene or even an entirely different scene appeared.

43. CONICAL POLYRAMA PANOPTIQUES. *c.1850, France, tin, left, 3½"d, x 6" (8.9 x 15.2 cm.); right, 4¼"d x 7" (10.8 x 17.8 cm.).*
    These small conical viewing devices worked on the same principles as the box-type viewers.

44-45. TOY BOÎTE D'OPTIQUE. *c.1820, wood and paper, 3¾" x 12½" x 3½" (9.5 x 31.7 x 8.9 cm.).*
    This toy came complete with a set of views. An opening in the back sheds light on the views.

46-47. PEEP-EGG. *c.1880, alabaster, 2" x 5" (5.1 x 12.7 cm.).*
    The name "peep egg" was given to these alabaster eggs by Bill Barnes in 1952. The alabaster egg marked "from Niagara Falls" contains three different scenes, one of small glass and coral, another of Catraacht House and the third of Niagara Falls itself. A small lens at the top of the egg and the translucent alabaster let enough light in to take a peep of the views.

48. MEGALETHOSCOPE. *c.1865, wood, 13" x 22" x 33" (33 x 55.9 x 83.8 cm.).*
    The Megalethoscope was patented and exhibited by Carlo Ponti in 1860. It operated like a peepshow or the more diminutive polyrama panoptique, but substituted photographic images for drawings or engravings.

49-50. BENEDICTION OF THE POPE, ROME. *c.1865, albumen print, 14" x 10" (35.6 x 25.4 cm.).*
    Front and rear lit view of St. Peters on Easter Sunday.

51. NOUVELLE LANTERNE MAGIQUE PIÈCES CURIEUSES. *c.1850, anon., lith. C. Aubert, Paris, lithograph, 9" x 11½" (22.9 x 29.2 cm.).*
    This song sheet cover proclaims new magic lantern pieces by the authors of the first magic lantern piece, yet the machine shown is a peepshow.

52. UNTITLED. *c.1900, anon., colored line cut postcard, 3½" x 5½" (8.9 x 14 cm.).*
    This postcard depicts a man taking a view in a peepshow-like machine. The machine is probably a representation of a stereo card viewer or a mutascope.

53. GEDENK-BOOG TER BEGRAAF-PLAATS DER UITGETEERDE ACTION-ISTEN. *c.1720, anon., Het Grote Boek Der Dwaasheid (Great Book of Folly), Dutch, etching, 18" x 13½" (45.7 x 34.3 cm.).*
    This print came from a book which existed in several variations, because the book was made up of a large number of prints, often bought separately and then bound. The book is about the madness of speculative investments with many satirical pieces concerning investments such as spices from Dutch colonies, tulip bulbs, bonds, gold and silver.
    The gathering depicted here shows a strange variety of events: a funeral, real or allegorical, the discarding of papers and books, a procession, and house interiors, On the gate top two cupids are labelled: Vanitas and Folly. In the midst a peepshow advertises an odd view proclaiming, "Dream to have a piece of land in Mississippi" Above the box reads, "Oh boy, look ahead that is the Mississippi, that is the United States." At the top of gate there is a woman called Lady Mississippi.

54. DETAIL. *Plate 53.*

55. SOUTHWARK FAIR. *1733, William Hogarth (1697-1764), line engraving, 17¾" x 13½" (45.1 x 34.3 cm.).*
    An action-packed fair with a peep box. Notice that in this print the peep box is shown with viewing holes on either side of the box. Also, the person on the high wire is an Italian, named

Violante, who married a rope dancer named Lupino. One of their descendants is Ida Lupino, the actress.

56. DETAIL. *Plate 55.*

57. PORTIQUE DORIQUE SANS PIEDESTAL. *c.1740, Charpentier after Charles Nicholas Cochin, fils (1715-1790), engraving, 8½" x 14" (21.6 x 35.6 cm.).*
    This print was an adaptation of an original (c.1620) by an Italian artist, Vignola. In the print shown here the peepshow by Cochin and the images at the bottom of the page are added to the original architectural detail.

58. UNTITLED. *c.1740, Cochin, fils, from a drawing book, etching, 3" x 2¼" (7.6 x 5.7 cm.).*

59. UNTITLED. *c.1740, anon., pen and wash drawing, 1¾" x 3½" (4.4 x 8.9 cm.).*
    Often an image would appear and reappear slightly altered by different engravers. These three images are an interesting group. It would appear that the small image done by Cochin was also used to alter Vignola's architectural detail. What is unclear is the relationship between the Cochin etching and the unsigned drawing. Was the drawing the original art executed by Cochin or, with slight modifications, used by Cochin for his etching? Possible, but on the other hand the drawing may be an adaptation of the etching. Whatever, the images in the drawing and etching appear reversed. In order to produce a copy that wasn't reversed the engraver first had to make a "mirror" copy of the image for printing purposes. Throughout this book you will see prints that were copied and recopied, with and without alterations.

60. RARITETEN KASTEN. *c.1750, Heinrich Rode (1727-1759) after Bernhardt Rode, etching, 8" x 11½" (21.6 x 27.9 cm.).*
    The Satyr-like showman proclaims that what Martial, famous ancient poet of epigrams, said to the Romans in the dim and distant past with words, today he, a German jester, is going to illustrate with pictures, in order to create something noble, and thus seek the improvement of mankind.

61. UNTITLED. *c.1750, Paul Sandby (1725/6-1809), etching, 3" x 3" (7.6 x 7.6 cm.).*
    This image comes originally from a larger sheet of six etchings executed by Sandby. Often such sheets were cut up, separating the images and making it difficult to trace the original work. This depiction of a peepshow by Sandby predates his illustration of a woman and a peepshow executed as part of a Cries of London series in 1760.

62. FOIRE DE CAMPAGNE. *c.1750, Cochin, fils after Francois Boucher (1703-1770), stipple and line engraving, 16" x 13½" (40.6 x 34.3 cm.).*
    Based on a rather well-known painting by Boucher, this is an imaginative representation of a lush and lively country fair. The large peepshow (notice the puppet figure on top) could accommodate more than one viewer. The text reads: "May the mirth sparkle in these rustic spots; the villagers profit from the gaming tables, and you young tender ones, who embellish innocence, may tender love follow the dance."

63. PALACE OF VERSAILLES. *18th century, anon., hand-colored engraving, 18" x 10½" (45.7 x 26.7 cm.).*

64. DETAIL. *Plate 63.*

65. VUE DE LA PLACE DE L'HOTEL DE VILLE. *18th century, Guiguet after Courvoisier, hand-colored engraving, 18" x 12" (45.7 x 30.5 cm.).*

66. DETAIL. *Plate 65.*
    While the configuration ond context suggest this to be a peepshow the true identity of this machine is unclear.

67. VUE DU CHATEAU DE VINCENNES DU CÔTÉ DE L'ENTREE. *18th century*, anon., *hand-colored engraving,* *18" x 12" (45.7 x 30.5 cm.).*

    All three vue d'optiques could be viewed through a zograscope, boîte d'optique, or a peep box. Of the three, the first view is the only one with pierced holes which allowed viewing with direct lighting or back lighting to highlight the areas with cut-out spaces (usually backed with colored paper), creating a transforming image. It is difficult to find peepshow prints. It is even more difficult to find ones with a peepshow in them. The engravers must have had a sense of humor to depict an image of a peepshow to be spied in a peepshow. More importantly, notice that all three use the buildings to work elements of perspective, creating a vanishing point in the middle of the image. It should be remembered these boxes were used by artists testing theories of perspective.

68. PORCELAIN GROUPING. *c.1760, moulded by* Etienne Falconet *after F. Boucher, porcelain,* *6¼" x 6" x 6½" (15.9 x 15.2 x 16.5 cm.).*

69. PORCELAIN GROUPING. *c.1850, maker's stamp JP (Jacob Petit), Paris, porcelain, 10" x 9" x 8" (25.4 x 22.9 x 20.3 cm.).*

70. PORCELAIN GROUPING. *c.1850, porcelain,* *6" x 7" x 5" (15.2 x 17.8 x 13.7 cm.).*

    During the 17th, 18th and 19th centuries, figures, often made of porcelain, were sculpted with representations of either magic lanterns or peepshows. This small group contains three porcelain figures. All three are based on the original work by Boucher and depict the same scene: a man with a peepshow and a mother and child waiting to take a view. The simpler model, unsigned, is open at the top and was possibly used for holding matches or other small items. It may also have had a removable top. The other two are almost exactly the same. The later one, made nearly a hundred years after the original, added some features and was used as an inkwell.

71. THE POLITICAL RAREE-SHOW: OR A PICTURE OF PARTIES AND POLITICS, DURING AND AT THE CLOSE OF THE LAST SESSION. *1779, anon.,* Westminster Magazine, *June 1779, etching,* *13½" x 8½" (34.3 x 21.6 cm.).*

    A political cartoon full of biting humor in which a boy looks at a series of twelve views while the showman makes strong remarks ridiculing political, business, military, and religious leaders of the day. The humor in the images is not subtle. For example, in the second image entitled, "The Generals in America Doing Nothing or Worse than Nothing," there is a man asleep in the foreground with playing cards on the table and wine bottles on the ground. In the background English soldiers, their arms thrown down, are kneeling to American soldiers. The American commander holds up an American flag while Burgoyne, the English general, kneels, holding down the British flag, implying their incompetence and profligacy in losing the war.

72. YOUTHFUL ENTERTAINMENT. *c.1780,* Robert Dighton *(c.1752-1814), printed for and sold by Bowles & Carver, no. 69 in St. Paul's Church Yard, London, engraving,* *6" x 8" (15.2 x 20.3 cm.).*

    Part of a boxed set of prints of modern figures, which the publishers suggest are, "contrafied in a pleassfing variety of subjects in oval." Dighton, (nom de plume Deighton) worked as an actor, artist and printseller. In one of his early watercolor sets he immodestly refers to himself as "portrait painter and drawing mafter."

73. OH. YOU SHALL SEE VAT YOU SHALL SEE. *1760,* Simon Francis Ravenet *after Louis Philippe Boitard, No. 1,*

The Cries of London, *published by Robert Sayer, Fleet St., London, hand-colored engraving, 6¼" x 8½" (15.9 x 21.6 cm.).* *Text: "The Cries of London in six parts. Being a collection of Seventy two humourous Prints drawn from the life by the celebrated Artist Laroon with additions & improvements by L.P. Boitard."*

    The doll perched on top probably represents Mademoiselle Catherina, the celebrated puppet or a similar automated piece. These extraordinary puppets with moving body parts were mysteriously propelled by hidden clockwork mechanisms. They pleased and delighted audiences because of their beauty and mysterious movement, controlled by the showman, and not infrequently formed part of the show.

74. A VIEU OF PLYMOUTH. *1780, anon., pub. by M. Darly (39) Strand, May 4, 1780, hand-colored engraving, 7½" x 10" (19 x 25.4 cm.).*

    A satirical print aimed at making fun of the mismanagement of the American war. The showman says, "There you see cannons without carriages, and carriages without cannons. There you see generals without orders...."

75. UNTITLED. *c.1790,* Shunzan Katsukawa *(fl. c.1782-1790), publisher Yeijudo, wood-block print,* *8" x 12½" (20.3 x 31.7 cm.).*

    The peepshow was a popular instrument in Japan during the 18th and 19th centuries. Many were similar in construction to Western boxes and either arrived from Europe or were patterned after European models. However, this and other Japanese prints representing the peepshow often show the box with the image above and outside the box, seemingly not as the views were actually seen. Such a representation may be accepted iconography of the period, or simply a visual cue by artists to a public less familiar with these "European" devices.

76. OPTIQUE RENOMÉE. *c.1770,* H. Guttenberg *after Johann Eleazan Schenau (1749-1818), Paris chez Dennel Graveur, rue du Pt. Bourbon attenant la Foire St. Germain, engraving, 5¾" x 7½" (14.6 x 19 cm.).*

    A folder by the chair is labelled, "folder of curious views." Interestingly, there are numerous mispelled words in this print, which may satirize the "literacy" of the showman.

77. HET COMMITTE VAN BUITELANDSCHE ZAAKEN. *1796.* David Hess *(1770-1843), from* Hollandia Regenerata *(1796), etching painted in red ink, 11" x 14½" (27.9 x 36.8 cm.).*

    Political satire depicting dire consequences to the Netherlands from French attempts to run the country as a revolutionary puppet state.

78. THE PEEP SHOW. *1789,* Francesco Bartolozzi *(1727-1815) after Francis Wheatley (1747-1801), published, according to Act of Parliament 25th Nov.1789, by Ann Bryer, 105 Poland Street, Soho W., mezzotint, 9½" x 9½" (24.1 x 24.1 cm.).*

79. THE PEEP SHOW. *c.1800, anon., French, engraving,* *7" x 6" (17.8 x 15.2 cm.).*

    Notice how this image is the same as the previous image, but reversed. Unless engravers used a mirror when copying an earlier print, their copies would reverse the original image.

80. THE SHOW MAN, LA PIÈCE CURIEUSE. *c.1790,* Thomas Gaugain *(1748 - c.1810) after J. Barney, stipple engraving,* *20" x 27" (50.8 x 68.6 cm.).*

81. PERTEN EN GRAPPEN DER JONGHEID. *18th century, anon., Dutch, n. 69, "Espiégleries de la Jeunesse", hand-colored (stenciled) wood engraving, 11½" x 14" (29.2 x 35.6 cm.).*

82. DETAIL. *Plate 81.*

83. PEEPSHOW. *c.1830, anon., Dutch, H. Nuema, Rohyn et J.O.(Jan Oortman), detail, 1½" x 2" (2.4 x 5.1 cm.) from larger sheet entitled, "Diverse Subjects", hand-colored (stenciled) wood engraving, 13" x 18" (33 x 45.7 cm.).*

84. NÜRNBERG BEI FR. CAMPE. *c.1830, anon., hand-colored etching, 11½" x 8¼" (29.2 x 20.9 cm.).*

  This group of prints is part of a genre called catchpenny prints or imagerie d'Epinal, named after the city where many were printed. These inexpensive prints had a wide distribution. Sheets contained large numbers of images and often children would cut them and place their favorites in scrapbooks.

85. BILLY'S RAREE-SHOW—OR JOHN BULL ENLIGHTEN'D. *1797, Charles Williams, pub'l Aug't 15, 1797 by S.W. Fores, 50 Piccadilly, hand-colored etching, 8" x 12" (20.3 x 30.5 cm.).*

  A political cartoon. As the flag at the top of the peepshow indicates, this is a "Deception of the Senses." The showman begins, "Now pray lend you Attention to the Enchanting prospect before you. This is the prospect of Peace." Other text suggests the public is naive to believe that a government paying for war is interested in peace. The showman is represented as William Pitt, first Lord of the Treasury. While John Bull (representing the people) is taking a peek, Pitt takes a bag labeled savings from his pocket, showing the populace being robbed of its savings to support the war effort.

86. A SHOW UP! *1832, John Doyle (1797-1868), HB Sketch No. 216, lith. A. Ducoté, published Aug.1st 1832 by Thos. Mclean, 26 Haymarket, lithograph, 14½" x 11½" (36.8 x 29.2 cm.).*

  A political cartoon spoofing the public getting its pocket picked to pay for war no matter what party is in power. The box in the image is entitled, "Raree Show New View of the Glorious Triumph of Reform." When one reads the text, one wonders what reform, or changing a party, has accomplished. Doyle was the father of Richard Doyle, Punch and Judy artist and grandfather of Conan Doyle.

87. POLITICAL SHOWBOX. *1840, John Doyle, HB Sketch No. 662, lith. A. Ducoté published Dec. 1st 1840 by Thos. McLean, 26 Haymarket, lithograph, 14½" x 11½" (36.8 x 29.2 cm.).*

  Another political cartoon. This time John Bull is extolling the glories of Britain's past wars and the encounters of Her Majesty's Fleet while his pocket is being picked to support the less than glorious war efforts with Ireland.

88. PAYING FOR PEEPING. *1835, C.J. Grant, from Everybody's Album and Caricature Magazine published by C.J. Grant, lithograph, 3½" x 3½" (8.9 x 8.9 cm.).*

  Grant, an unorthodox artist, started this magazine and billed himself author, artist and editor. It is full of political satire. The showman describes the often futile struggle between the Tories and Whigs — at the time Britain's two dominant parties.

89. OMBRE CHINOISES CARD. *c.1870, anon., photo relief line cut, 5¾" x 2" (14.6 x 5.1 cm).*

  Figures at a fair include a man looking at a peepshow and losing his money to the infamous "cut purse" technique, where with incredible swiftness your purse would be removed from your pocket and cut from the chain or string connecting it more "securely" to your person.

90. LA BOÎTE D'OPTIQUE. *c.1920, Maggie Salcedo, colored lithograph, 4¾" x 4½" (12.1 x 11.4 cm.).*

  Salcedo was a well known French illustrator working primarily in the first quarter of the 20th century. She did many illustrations for children's books.

  These images illustrate what must have been a popular conception, the dangers of fairs, and that more than occasionally the peepshow was used by con men to pick a person's pocket. In Morley's Memoirs of Bartholomew Fair, we are told, "Just as Lent is to the fishmonger so is Bartholomew Fair to the pickpocket," (p 146.) Undoubtedly a person bent over, concentrating on a view was not an unwelcome sight for a pickpocket. Two of the illustrations appear simply to document the loss of one's purse. However, in the other drawings there is something larger being picked, the savings or trust of the people. These cartoons are warning us against the politicians of the day.

91. A MAN WITH A RAREE-SHOW. *1799, Dadley after Pu-Quà, published May 4, 1799 by W. Miller, Old Bond St., London, colored stipple engraving, 8" x 7⅜" (20.3 x 18.7 cm.).*

  This plate was reprinted in 1804 as part of a set of sixty engravings in the well known book, The Costumes of China, by Major George Henry Mason. Some of the "costumes" in the book were: A Mandarin of Distinction, A Money-Changer, A Frog-Catcher, A Porter with Fruit-Trees and Flowers, A Pillow-Seller, A Flute-Seller, A Balancer, A Puppet-Show, A Viper-Seller, A Lame Beggar, and A Lady of Distinction.

92. THE PEEP SHOW. *c.1850, anon., Boys Own Magazine, wood engraving, 4¾" x 4½" (12.1 x 11.5 cm.).*

93. MEN OF CHINA, A MAN WITH A RAREE-SHOW. *c.1820, anon., colored lithograph, 7¾" x 8" (19.7 x 20.3 cm.).*

  Accompanying text: "Whether the Europeans borrowed the idea from the Chinese, or were the inventors of this puerile object of curiosity, cannot easily be decided; the similarity of this harmless amusement will be obvious to every one. The Chinese showman produces a succession of pictures to the perspective glass by means of small strings, and relates a story and description of each subject as he presents it in a remarkably humorous manner that delights and astonishes his audience."

  These three images, as well as a fourth located in the introduction (pl. 17) are nearly identical. This is another example illustrating that once an image became popular, different engravers would reproduce the image with slight modifications or changes, or simply reprint it, over many decades.

94. THE HALF PENNY SHOWMAN. *1805, William Henry Payne, from Payne's Costumes of Great Britain, published by William Miller, Albermarle St., Jan.1,1805, hand-colored acquatint, 9½" x 13" (24.1 x 33 cm.).*

  The text reads: "This is a traveling half penny showman, many of whom may be seen at country fairs. They walk all over England with their exhibitions on their backs."

95. HYDE PARK CORNER: A SHOWMAN. *1804, anon., published July 7, 1804 by Richard Phillips, 72 St. Paul's Church Yard, hand-colored copper plate engraving, 4¾" x 6" (12.1 x 15.2 cm.).*

  The accompanying description of the plate states: "A Showman. This amusing personage generally draws a crowd around him in whatever street he fixes his moveable pantomime, as the unemployed persons or children who cannot afford the penny or halfpenny insight in the show-box are yet greatly entertained with his descriptive harangues, and the perpetual climbing of the squirrels in the round wire cage above the box, by whose incessant motion the row of bells on the top are constantly rung. The show consists of a series of coloured pictures, which the spectator views through a magnifying glass, while the exhibitor rehearses the story, and shifts the scenes by the aid of strings. These Showmen carry their box on their backs, and frequently travel into the country."

  Sold separately, this image was a part of the Cries of London series included by Phillips in his book, Modern London, Being The History and Present State of The British Metropolis.

96. THE SHOWMAN. *1806, anon., after a design by Thomas Rowlandson, 73 Wardour Street, Soho, hand-colored etching, 7¼" x 10" (18.4 x 25.4 cm.).*

97. UNTITLED. *c.1800, etching and design by Thomas Rowlandson, hand-colored engraving, 1½' x 12" (3.8 x 30.5 cm.).*

   This strip is obviously from part of a larger work. This piece is glued to a piece of blue paper, typical of the material used for scrapbooks during the first part of the 19th century.

98. UNTITLED. *c.1800, etching and design by Thomas Rowlandson (1756-1827), hand-colored etching, 2¾" x 2¼" (7 x 5.7 cm.).*

99. RAREE SHOW. *c.1820, Thomas Rowlandson, from* Characteristic Sketches of the Lower Orders, *hand-colored etching, 2¾ " x 4½" (7 x 11.4 cm.).*

   This work, another "London Cries", includes 54 plates of various occupations. It was intended as a companion to The New Pictures of London *by Samuel Leigh.*

   Rowlandson, along with Cruikshank and Gillray formed a small group of English caricaturists at the end of the 18th and beginning of the 19th century who produced many political cartoons, and employed the peepshow as well as the magic lantern as a device to "project" a certain message.

100. LA LANTERNA MAGICA. *1809, Bartolommeo Pinelli, Roma, colored engraving, 11½" x 8¼" (29.2 x 20.9 cm.).*

101. UNTITLED. *c.1820, anon., pen and ink, 10" x 6½" (25.4 x 16.5 cm.).*

   This charming pen and ink is almost an exact copy of the later Pinelli engraving.

102. LA LANTERNA MAGICA. *1815, Bartolommeo Pinelli (1781-1835), Roma, colored engraving, 11" x 8½" (27.9 x 21.6 cm.).*

103. A BUNDLE OF TRUTHS. *1811, anon., published 2nd. Sept. 1811 by Laurie & Whittle, 53 Fleet St., London, etching, 8½" x 6½" (21.6 x 16.5 cm.).*

   A Bundle of Truths *was, as the accompanying text proclaims, sung to great applause by Mr. Henry Johnson, in Dublin, Cork, &c., &c. Before the text we are told, "Truth is great and will prevail." A sample of Mr. Johnson's truth is:*

   > *Times will grow better, never fear*
   > *Old maids in scandal take delight,*
   > *Candles now are very dear,*
   > *Roguery will come to light,*
   > *Chicken-gloves a'nt made for pigs,*
   > *Very seldom asses die.*
   > *Plum-pudding should be stuff'd with figs,*
   > *The Monument is very high.*

   There is a peepshow in the left hand corner of this print. Laurie and Whittle were one of the foremost publishers of vue d' optiques used for peepshows.

104. UNTITLED. *c.1840, anon., wood engraving, 2¼" x 2" (5.7 x 5.1 cm.).*

105. JAMIE THE SHOWMAN. *1823, Thomas Hodgetts after Robert Edmonstone (1794-1834), published by James Edmonstone & Co., 49 Prince St., Edinburgh, hand-colored mezzotint, 14½" x 18" (36.8 x 45.7 cm.).*

   The sign above the peepshow reads Battle of Waterloo. Battles were a particularly popular topic for the peepshow. This peepshow could, it appears, accommodate viewers of different heights. Notice while the showman appears preoccupied with the family taking a view some boys seem less interested in the show than in causing mischief. One lad attempts to set the showman's pocket on fire. Another is giving him a hot foot.

106. LA LANTERNE MAGIQUE. *c.1820, anon., hand-colored etching, pasted into book, page size 5" x 7½" (12.7 x 19 cm.).*

   The box being carried by a travelling showman, labeled one thing — la lanterne magique — in reality is something else, a peepshow. Although it seems to have a lens that might be used for a lantern, the lack of a chimney and the strings on the side suggest it is a viewing box, not a projecting machine.

107. DETAIL. *Plate 106.*

108. RAREE-SHOW. *c.1800, Thomas L. Busby,* Costumes of the Lower Orders of the Metropolis, *hand-colored etching, 3½" x 5" (8.9 x 12.7 cm.).*

   Busby's drawing, based on Laroon's early work, was first published in this set of twenty-one colored prints of hawkers and street workers and then reprinted in the 1820s in Leigh's New Pictures of London.

109. THE RUINS OF FAIRLOP OAK. *c.1805, John Peltro after Humphrey Repton (1752-1818), etching, 2¾" x 2½" (7 x 6.3 cm.).*

   This small engraving shows a once mighty oak which dominates the engraving. Such oaks often were central to village life. This particular oak was quite famous, had its own significant history, and spawned a fair called the The Fairlop Oak Festival held on the 1st of July each year. This oak, reputed to have a girth of 36 feet, was located in the Hainault Forest in Essex. It was located on the property of a man named Daniel Day, called Good Day by the locals, who used it first as a retreat for an annual dinner of a fine English cuisine, beans-and-bacon. Soon his retreat became a gathering place for an annual festival. Day died in 1767, but by then the beans-and-bacon festival was well established and carried on for a long time. There was a fire that badly damaged the oak in 1805, but, as we can see, the fair continued. Notice the stall to the right selling pieces of the oak.

110. UNTITLED. *c.1830, anon., hand-colored etching, 6½" x 4½" (16.5 x 11.4 cm.).*

111. UNTITLED. *c.1820, J. Baptiste, lithograph, 7" x 5½" (17.8 x 14 cm.).*

   An example of two similar prints, both French, displaying different levels of artistic talent.

112. CECI VOUS REPRESENTE. *c.1820, François Grenier (1793-1867), lithograph, 6" x 8" (15.2 x 20.3 cm.).*

   Clever wording translated as: "You see what you want to see. It is a reflection of what you are."

113. LA LANTERNE MAGIQUE. *c.1820, anon., hand-colored etching, 4" x 5" (10.61 x 12.70 cm.).*

   Often images of peepshows were marked "la lanterne magique," but they were clearly not magic lanterns but peepshows. Both were forms of popular entertainment in the 18th and 19th centuries. Some showmen carried both a lantern and a peepshow to give variety to their offerings.

114. DETAIL. *Plate 113.*

115. THE CRIES OF LONDON. *c.1820, anon., published by William Darton, 58 Holborn Hill, London, hand-colored etching, 15" x 2" (38.1 x 5.1 cm.).*

   Accordian-like booklet contains images from a Cries of London *series containing 48 images published by Darton in 1820. The same images contained in the print were produced five years later in the form of the illustrated puzzle.*

116. THE CRIES OF LONDON. *c.1825, anon., wood puzzle published by William Darton, 58 Holborn Hill, London, hand-colored etching on cardboard, 15" x 12" (38.1 x 30.5 cm.).*

Text from the inside cover of the box housing the puzzle:
"Knives to Grind, Hot Crofs Buns, Raree Show, etc...."

117. DIABLERIES. *c.1840,* Eugène Le Poittevin *(1806-1870), No. 3, pub. chez Aumoît, rue JJ Rousseau No. 10, lithograph,* 15½" x 12" *(39.4 x 30.5 cm.).*
   This print was frequently sold separately, but was part of a set of twelve prints sold in book form under the title Les Diableries de La Lithographie. *Diableries or Devil images were very popular in France.*

118. DETAIL. *Plate 117.*

119. UNTITLED. *c.1840,* Eugène Hippolyte Forest *(1808-1870), lithograph,* 8¼" x 9" *(20.9 x 22.9 cm.).*
   The showman appears to shout at his wife, whose mind appears to be on the cooking rather than changing the views.

120. SERGEANT BELL AND HIS RAREE-SHOW. *1848, anon., from* Sergeant Bell And His Raree-Show *published by Joseph A. Speel, 96 Cherry St., Philadelphia, wood engraving,* 2" x 2½" *(5.1 x 6.3 cm.).*
   A partial listing of some of the scenes and stories captured in Sergeant Bell's raree shows:
   The Caravan in the Desert
   Bonaparte's Battle of the Pyramids
   The Battle of the Nile
   Battle of Trafalgar
   The Battle of Waterloo
   Catching a Whale
   Great Fire in London in 1666

121. SERGEANT BELL AND HIS RAREE-SHOW. *1854, anon., from* Sergeant Bell And His Raree-Show *published by Crissy & Marklen, Goldsmiths Hall, Library Street, Philadelphia, wood engraving,* 2" x 2½" *(5.1 x 6.3 cm.).*
   Even more stories from Sergeant Bell.
   This edition includes the following new stories:
   Crater of Mount Vesuvius
   Storm at Sea
   The Falls of Niagara
   The Elephant Hunt
   Mount Blanc
   The Siege of Antwerp
   The House of Lords

122. UNTITLED. *1851, F.F., graphite on paper,* 3¾" x 5½" *(9.5 x 14 cm.).*
   The showman lets light in through the top of the box.

123. PIÈCES CURIEUSES. *1839,* Paul Gavarni *(1804-1866),* Le Charivari, *Paris, lithograph,* 7½" x 6" *(19 x 15.2 cm.).*
   Text: *"You must show pictures to mankind, reality bores him."* One of the curious things about this piece is that Gavarni's signature, in the lower left corner, is reversed, suggesting the original print would have been reversed. Yet the writing on the top of the viewing box is not reversed, suggesting it that it was easier to do the writing over than to make a proper copy of the original drawing.

124. LANTERNE MAGIQUE. *c.1840, anon.,* Le Charivari, *lithograph,* 12" x 9½" *(30.5 x 24.1 cm.).*
   A political cartoon making fun of Louis Philippe, caricatured in the left corner, and General Dumouriez and other generals. Louis Philippe was an unpopular king and suffered at the hands of political cartoonists. His head was often drawn as pear shaped, and finally in a famous drawing he was simply represented as a pear.

125. THE MINISTERIAL CRISIS. *1846, anon.,* Punch, *June, 1846, wood engraving,* 7¼" x 9¾" *(18.4 x 24.8 cm.).*

A satirical image with the famous figure of Punch as the showman, showing a citizen a view of prime ministers, and making fun of them as he changes the views.

126. OPTIQUE A L'USAGE EN L'INSTRUCTION DE LA JEUNESSE. *c.1840, anon., French, hand colored lithograph,* 7½" x 10" *(19 x 25.4 cm.).*
   This is one of a relatively small number of early peepshow erotic images. Such images were frowned upon and therefore rarely signed. At the top of the view it says the optique is for the instruction of the young. At the bottom it says the carnival of Venice will be shown for the ladies and gentlemen. It appears two men and a woman are looking at some views. When the moveable flap is opened the erotic image is exposed.

127. CHEROOT CASE. *c.1860, anon., hand-painted paper mache,* 3½" x 2½" *(8.9 x 6.3 cm.).*
   The image on the case is similar to a German engraving from 1850. Gentlemen carried such cigar cases to house their small cheroots. Often these cases had paintings on one or both sides. Portraits of women were the most common motif. This scene is more unusual. More rarely, a box had a false back, allowing a gentleman a private view of a pornographic image.

128. DELFT TILE. *c.1840, anon., Amsterdam, ceramic,* 5¼" x 5¼" *(13.3 x 13.3 cm.).*

129. DELFT TILE. *c.1840, anon., Utrecht, ceramic,* 5¼" x 5¼" *(13.3 x 13.3 cm.).*
   Although neither tile was manufactured in Delft, both tiles are produced in a style commonly referred to as Delft, which is blue paint on a white tile background. Both tiles borrow their images from Dutch engravings of the period.

130. PORCELAIN PLATE. *c.1880, anon. after Madou, manufacture H & B de Choissy, Paris,* 8" *(20.3 cm.) diameter.*
   This small plate is in the form of a French Rebus — a riddle made of words and images which create a saying. The rebus on this plate reads: *QUAND ON VEUT COMMANDER ON DOIT SAVOIR OBEIR* — which translates as, "If you want to be able to give orders you must first be able to obey." The plate carries an image executed much earlier. The image was made by Madou and was one of forty published in 1837 as Etrennes Pittoresques—40 Lithographies D'Apres Dessins De Madou.

131. MUSEE OMNIBUS. *c.1840,* Duriez *after Ferdinand Marohn, lith. by Jacomme & Cie de Lancry, lithograph,* 9¾" x 8" *(24.8 x 20.3 cm.).*
   Text: *What's seen & what isn't!*

132. LE MILITORAMA. *c.1840,* Hippolyte Bellange *(180-1866), lithograph,* 8" x 8¼" *(20.3 x 20.9 cm.).*
   It looks as if the showman, a retired and injured soldier, provides views of military exploits. Several prints depict retired soldiers, sometimes with missing limbs. One wonders if such images are fanciful, military uniforms symbolically representing a sense of worldliness, or whether injured veterans blocked from other jobs assumed the job of itinerant showman. Certainly there were many injured soldiers, and work as a street entertainer may have been an open occupation. It is also possible that with many industrial accidents, some injured persons took on the garb of retired soldiers, attempting to appeal to the public.

133. AYR: THE TWA BRIGS. *c.1840,* Thomas Hingham *(1796-1844) after David Octavius Hill (1802-1870), published by Blackie & Son, Glasgow, printed by W&D Duncan, Glasgow, colored steel engraving,* 5¼" x 3½" *(13.3 x 8.9 cm).*
   This image was part of a set of 81 steel engraving used in the two volume Land of Burns. D.O. Hill, cited above, is David Octavius Hill, a famous early photographer.

134. THE SHOWMAN. *c.1850, anon., published by LeBlond & Co., London, L.A. Eliliot & Co., Boston, hand-colored etching in acquatint, 9" x 7" (22.9 x 17.8 cm.).*

The shape of this image was distinctive enough that such prints took on their publisher's name and were often referred to as a LeBlond oval. The image romantically portrays the quiet village. The large drum used by the peep-show man attracts the attention of the children. One supposes the child in the background is asking his mother for money to take a view.

135. THE PEEP SHOW. *c.1840, anon., oil on canvas, 20" x 13" (50.8 x 33 cm.).*

A detail here shows the boy on the right clutching a coin in his mouth, apparently awaiting his turn.

136. THE POST-OFFICE PEEP SHOW. *1843, anon., Punch, wood engraving, 7" x 4½" (17.8 x 11.4 cm.).*

The showman holding up a letter declares, "A Penny A Peep—Only A Penny!"

137. JEFF AND THE SHOWMAN. *c.1830, anon., an envelope, wood engraving, 5½" x 3" (14 x 7.6 cm.).*

Text: Showman—"At the end of the Avenue you perceive the White House—keep your eye on it and it will dissolve and fade from your view." Although the box is marked "dissolving views," as if for the magic lantern, this envelope shows a peepshow, with numerous strings to be pulled by the showman.

138. DER GUCKKASTENMANN. *1847, G. Klaus after Georg Ferdinand Waldmuller (1793-1865), etching, 10" x 8" (25.4 x 20.3 cm.).*

This is a slightly curious image. Although titled "The Peepshow Man," and in spite of the box being on a trestle and having the shape of a peepshow, one wonders what is being shown. It certainly looks as if the man is entertaining the crowd with something they can all see, which is outside the box. It is possible that this is a warmup, some entertainment that preceded taking a view, or that this was another entertainment that accompanied the views, or possibly this was a mislabeling of some other form of street entertainment.

139. THE PEEP-SHOW. *1842, George Cruikshank (1792-1878), [Laman Blanchard (ed.)] George Cruikshank's Omnibus, (preface), published by Tilt & Bouge, Fleet Street, London, wood engraving, 2½" x 2½" (6.3 x 6.3 cm.).*

This book, full of Cruikshank's drawings and witty, satirical, and poignant remarks begins with a preface, which pokes fun at the peepshow man who is about to do a History of the World in less than two pages. It starts: "All children of a larger growth are warned to skip this page if they please — it is not for them, who are, of course, familiar with the ways of the world — but only for the little dears who require a Guide to the great Globe they are just beginning to inhabit." This is followed by the showman saying, "Now then, my little masters and missis, run home to your mammas, and cry till they give you all a shilling apiece, and then bring it to me, and I'll show you all the pretty pictures."

140. SIGHTS AT A PEEP-SHOW. *1874, anon., [Mrs. George Cupples}, from Sights At A Peep-Show, (frontispiece), published by T. Nelson & Sons, 1874, wood engraving, 2" x 3" (5.1 x 7.6 cm.).*

The introduction begins: "I am Tom West, the Peep-show Man, and have many pretty as well as curious things to show you, my little dears. The charge is only one halfpenny; and for that you may see the great Polar bear of the Artic regions, also a tiger-hunt, along with many other wonderful sights, in my peep-show, which would take hours to tell you about. But step forward—step forward, and see what you will see! That's right, my little master; now put your eyes close to the round window, and keep them very wide open. We are just about to commence; so pay attention, and listen with all your ears." More than a hundred pages of images and stories follow.

141. OPTICAL AMUSEMENTS. *1845, anon., The Boys Own Book, (p.109), published by Munroe & Francis, New York, 1845, wood engraving, 2¼" x 1¾" (5.7 x 4.4 cm.).*

The nature of the book is captured in the title page which declares: "A complete encyclopedia of all the diversions, athletic, scientific, and creative, of boyhood and youth."

142. LA LANTERNE CHINOISE. *c.1850, L. Lassalle after F. Boucher, Paris, lithograph, 7" x 9" (17.8 x 22.9 cm.).*

This image is interesting because it is one of the rare images of a woman showperson. Also note how Western all three of the people in the image appear.

143. UNTITLED. *c.1850, Chinese, watercolor on rice paper, part of a set of 12 watercolor street scenes during a New Year's Celebration in Peking, 13½" x 8½" (34.3 x 21.6 cm.).*

According to the accompanying calligraphy this is an illustration of the viewing of the scenery of West Lake, famous beauty spot in Hangzhou. For a small sum one could see other views of China or views of the West.

144. FRENCH MANTLE CLOCK. *c.1860, anon., metal, 14½" x 16" x 5½" (36.8 x 40.6 x 14 cm.).*

145. METAL FIGURE. *c.1870, anon., LSF maker mark, base metal, 2½" x 7½" x 4" (6.3 x 19 x 10.1 cm.).*

146. FRENCH MANTLE CLOCK. *c.1860, anon., metal, 15" x 13½" x 6" (38.1 x 34.3 x 15.2 cm.).*

The two clocks were part of a genre of French mantle clocks made during the period referred to as Napoleon the third (1842-1870). More expensive models were made of bronze. A wider market was tapped when the material used was a less expensive base metal, as is the case with both of the clocks illustrated here.

147. STREET SCENE IN PEKIN. *c.1880, A. Marie after photo by M.Thompson, Le Tour Du Monde, hand-colored wood engraving, 8½" x 6" (21.6 x 15.2 cm.).*

Unlike some fanciful Western-rendered depictions, this image of an actual peepshow probably shows a common sight in Chinese cities and villages. Thompson was a well known photographer at the end of the last century who devoted much of his time to photographing the Far East.

148. LA VERRE. *1862, M. Bioto after Ed Renard, [Jules Delbrueck], Les Recreations Instructives, Paris, hand-colored wood engraving, 4½" x 2½" (11.4 x 6.3 cm.).*

The detail shows an optique box, which proclaims "Wonders of the public square," and is part of a larger print (15¼" x 10¾" or 38.7 x 27.3 cm.) showing numerous objects including a magic lantern.

149. RAREE SHOW AT LIN-SIN-CHOO. *c. 1880, G. Pater after T. Allom (1804-1872), engraving, 7½" x 5¼" (19 x 13.3 cm.).*

This image was later transposed to a magic lantern slide and used as part of a lecture set by the Rev. Dr. Chalmers for his lecture on China and the Chinese. The text which goes with the slide says in part: "Raree show. Here you have another of their popular amusements, the Raree Show. In the automatic figures of the Chinese raree showman (top of the box) are to be recognized the originals of the Fantoccini of Italy, and the Punch and Judy of our western countries. Both in England and China music is a necessary part of the entertainment. Our friend to the right is an orchestra in himself. To his left foot a cymbal is attached which he strikes upon its fellow securely fastened to the ground, with his right foot he plays upon a drum or tambour, while both hands are used in the management of the flute, occasionally exchanging it for the clarionet which hangs at his side."

150. LANTERNE MAGIQUE. *c.1860*, Boilly, *[Didot (ed.)]* La Chine: Moeurs, Usages, Costumes, Arts et Métiers, etc., 2 vol., *(pg. 181) printed by Delamain & Sairazin, 8 rue Gil-le-Court, Paris, lithograph, 6″ x 4″ (15.2 x 10.2 cm.).*
   Notice the wonderful pagoda-style box.

151. HANGING OBJECT HOLDER. *c.1870, hand-painted, lacquered paper mache, 7″ x 18½″ (17.8 x 47 cm.).*

152. HANGING LETTER RACK. *c.1860, hand-painted, lacquered paper mache, 9¼″ x 9″ (23.5 x 22.9 cm.).*

153. TRAY. *c.1870, hand-painted, lacquered paper mache, 9¾″ x 7″ (24.7 x 17.8 cm.).*

154. HANGING MAGAZINE HOLDER. *c.1860, hand-painted, lacquered paper mache, 11 3/4″ x 14 ½″ (29.8 x 36.8 cm.).*
   A variety of paper mache boxes were produced in France with a Japanese motif, beginning in the Napoleon the third period and continuing until the Victorian period, during which there was a keen Western interest in Japanese design. These examples represent some of the variety of sizes produced during the period.

155. DIORAMA DE L'AMOUR. *c.1870,* Jean-Ernest Aubert *(1824-1906), oil on canvas, 27½″ x 37″ (69.8 x 94 cm.).*
   Jean-Ernest Aubert won the Grand Prix of Rome in 1844, and a series of local prizes during his long career. This wonderful painting uses many techniques to create a mood. Only women are pictured, and assisted by angels, they may either taste the candy treats offered by one cherub, or take a peek at the diorama of love. See how the cupid is poised to pull the strings to change views, and how light is able to enter this room-sized box, through a skylight.

156. UNTITLED. *c.1890,* J. Robie, *oil on canvas, 18″ x 12″ (45.7 x 30.5 cm.).*

157. UNTITLED. *c.1890, anon., hand-colored photo lithograph, 14″ x 9½″ (35.6 x 24.1 cm.).*
   This pair of images, probably executed about the same time, illustrates that even poor art may repeat itself. It is likely that the lithograph is a copy of an earlier painting, painted in the late 19th century but in a style from a hundred years earlier. The costumes themselves would suggest the mid 18th century. The painting, a rather amateurish work, was probably copied from the lithograph.

158. STARTLING EFFECTS. *1879, anon., Punch, July 19, 1879, wood engraving, 5¾″ x 8½″ (14.6 x 21.6 cm.).*
   This image carries a little story wherein the showman is trying to suggest there is special lighting in his show which has to do with a train. He is asked by a youth taking a view about a yellow light, which the showman can't understand until he realizes the box itself is on fire.

159. SOLDIERS LOOKING AT A SHOW, NEAR CULPEPPER, VA. *c.1868, from a sketch by Edwin Forbes (1849-1890), wood engraving, 9¼″ x 7½″ (23.5 x 19 cm.).*
   From a series entitled "The Soldier in Our Civil War." A curious looking peepshow. It is possibly a device for viewing glass stereo images, already popular at this time.

160. MORNING IN LONDON: A RAREE SHOW. *c.1880, anon., wood engraving, 4″ x 5″ (10.2 x 12.7 cm.).*

161. PEEP SHOW (NAPOLEON CROSSING THE ALPS). *1884, anon., [F. Opper],* A Museum of Wonders: What The Young Folks Saw There, *published by George Routledge & Sons, London & New York, colored lithograph, 10½″ x 8″ (26.7 x 20.3 cm.).*

Here is part of the accompanying text:
"Still are painted History's pictures from the record of his fame!
Merry ponders over this one—peeping at the wondrous show—
Sees the prancing charger bravely up the slippery mountain go!
Steep, and smooth, and pointed, like a sugar-loaf it seems,
Napoleon guides his fiery steed, while his good broadsword gleams;
And all his gallant legions, glad to follow where he goes,
March bravely on behind him through the dreary Alpine snows!"

162. GRAND DIORAMA UNIVERSE. *c.1880,* Lefman, *after* G. Frison, La Lanterne, *Paris, hand-colored (stenciled) line cut, 10″ x 11¼″ (25.4 x 28.6 cm.).*
   A satirical print full of double meaning, demonstrating the capabilities of the showman. On one level the show is about the grand sights of the world. A loose translation of the text might read: "Ladies and gentlemen, come in and see the superb and incomparable Universal diorama, which had the honour of having been visited by all European leaders and costs only two sous. You'll see there: a rather nice moon effect. On the Pô, in Italy, a chapter of the battle of Plewna where a young officer is commanding his company. You'll see there the Dijon cathedral beside the hillside Morcot, so famous for its mustard. You may see things in Turkey, Holland and Leipsig." On the other hand, the text is full of subtle messages making ironic jokes about each of the views.

163. UNTITLED. *c.1880, anon., jacquard woven tapestry, 9½″ x 9½″ (24.1 x 24.1 cm.).*

164. ILLUSIONNORAMA. *1872,* Lefman *after* Eug. Ladreyt, Le Sifflet, *Paris, hand-colored (stenciled) wood engraving, 8″ x 9″ (20.3 x 22.9 cm.).*
   A French image making fun of a naive French farmer. The viewer is given a choice, "For ten centimes you will see what you like and for twenty-five centimes you will see what you don't like." Quite a choice.

165. PEEP SHOW. *c.1890, anon., Peep Show (cover), published by New York Publishing Co., colored chromo lithograph, 6½″ x 9¾″ (16.5 x 24.8 cm.).*
   This cover hides a rather inexpensive volume of stories. There is no introduction and no more mention of the peepshow in the book. All the stories are accompanied by wood cuts and many contain moral lessons, such as the little story about guinea-pigs which ends "If you do not keep them very clean, they will get sick and die. When you have pets, you should always take great care of them and see they have plenty to eat, and clean water to drink."

166. THE CHILDREN'S PEEP SHOW. *c.1890, anon.,* The Children's Peep Show *(cover), published by EP Dutton in the US, printed by Ernst Nister, Nuremberg, color relief cut, 11″ x 8¾″ (27.94 x 22.22 cm.).*
   Inside the cover is this introduction to the book:
One day into Storyland Wood so deep
The showman wandered, and fell asleep,
And all the Bunnies came up to peep
   Into his comical Peep-Show.

They came in dozens, they came in scores,
They all peeped in at the little round doors,
The woods resounded with their roars
   At his comical Children's Peep-Show.

At last the showman woke in a fright,
He carefully opened one eye bright,
And couldn't help smiling at the sight
   Of the Bunnies all round his Peep-Show.

"I'll turn it into a book," said he,

"For the dear little folks I love to see;
I'm sure it will make them laugh with glee
    When they look at my comical Peep-Show."

So when he got home he soon made one
And filled it full of pictures and fun;
And the little folks said when it was done—-
"Hurrah for the Children's Peep-Show!"

167. THE PEEP SHOW. *1894, anon. after Harry Tuck,* The Millions, *No. 131, Vol. 5, for the week of Saturday, September 22, 1894, engraving, 6¾" x 8" (17.1 x 20.3 cm.).*
    Murder in the Red Barn, *a popular play, was based on a real life incident.*

168. THROUGH GREEN GLASSES. *1888, anon., [F.M. Allen],* Through Green Glasses *(cover), 6th edition, published by Ward & Downey, 12 York St., Covent Garden, London, colored line cut, 4" x 6½" (10.2 x 16.5 cm.).*
    This book is full of the stories of Dan, the peepshow man. They are an odd mixture of fact and fiction. A good example is the history of Sir Walter Raleigh (whom Dan calls Rolly). The story begins: "Many generations ago there appeared at the English Court a young fellow by the name of Walter Rolly. He was a darin' soger an' a darin' navigathor, but wud all his navigatin' an' sogerin' he could never keep his mind off the money. Day an' night he was always dramein' of goold; an' nothing was too hot or too heavy for him so long as there was goold at the bottom of the job. Wan minute he'd go an' discover a new country out in the bowels of the unknown says, an' another minute he'd start an' knock the daylights out of the French army or the Spanish Armady. O! he was a darin' man altogether an' no mistake; but the money, as I've towld you, was always in his mind." The story continues along this same vein. We learn how Rolly left his cloak for Queen Elizabeth and about his other adventures, which one way or another led to greater riches for himself.

169. THE PRETTY MAR-MO-SET. *1875, anon., [Mrs. George Cupples],* The Pretty Mar-Mo-Set *(cover), published by T. Nelson & Sons, Paternoster Row, Edinburgh & New York, color line cut, 3½" x 5½" (8.9 x 14 cm.).*
    Mrs. Cupples, according to her publisher, was the author of more than fifty books including, Pretty Betty, Grandpa's Adventures, Mary and Her Doll, A Kind Action Never Thrown Away, *and my favorite,* Uncle Dick's Story. *With* The Pretty Mar-Mo-Set *she offers us a thin volume of stories and pictures. The cover image is of a peepshow, yet the stories indicate that Mrs. Cupples is using the magic lantern as the imaginary device that produces the images, not a peepshow. For example, the text accompanying a view of a fountain begins, "Oh, how refreshing this fountain does look, to be sure! The heat from the Magic Lantern was getting unpleasant, but the very sight of this sparkling water makes you feel cool."*

170. THE PICCADILLY PEEP-SHOW. *1878, anon., [Wallis Mackay],* The Piccadilly Peep-Show *(cover), published by Richardson & Best, 5 Queen's Head Passage, London, tinted lithograph, 5½" x 8" (14 x 20.3 cm.).*
    Opening text: "This is the only genuine show in the fair; no cost or expense has been spared to bring it up to the requisite requirements of its aristocratic patrons. It contains a large assortment of highly-coloured pictures, the equals of which have never before seen daylight. It is the only show that successfully combines the sublime and the ridiculous. It has been prepared with more than a motherly care—in fact, a grandmotherly care—by the artists engaged, and here it stands, a representation of what can be produced by industry, combined with talent. It has been patronized by the Royal Family, an

most of the Crowned Heads of Europe. There is something to please everybody, short, broad, or tall. So now, ladies and gentlemen is your time. Walk up and feast your eyes on the real original Piccadilly Peep-Show."

171. ROYAL EXHIBITION. *c.1900, W. Rainey, colored relief line cut, 8½" x 10" (21.6 x 25.4 cm.).*

172. THE PEEP-SHOW. *1907, anon., relief halftone, 5½" x 8" (14 x 20.3 cm.).*

173. ONLY A PENNY. *c.1900, reproduced from an original painting by H.G. Glindoni,* Pall Mall Magazine, *colored line cut, 6¼" x 9" (15.9 x 22.9 cm.).*
    The horn at the showman's side is used to attract a crowd.

174. DIORAMA. *1869, anon.,* L'ECLIPSE, *24 Oct. 1869, line cut, 5" x 4½" (12.7 x 11.4 cm.).*
    A political cartoon making fun of Credit Communal. The showwoman, representing the seductiveness of the bank's public relations, talks to the naive man about the beauties of an illusory town, Purgerot. On and on she goes about the city and he inquires can it all be true? The implication is that what is being shown and sold is all illusion.

175. LE TOUR DU MONDE EN 80 SECONDES. *c.1890, wood engraving, 2½" x 4" (6.3 x 10.2 cm.).*
    This card is part of a genre of French trade cards that appeared at the end of the 19th century and at the beginning of the 20th century. Interestingly, there are a great number of such cards with images of magic lanterns, but this one, Around the World in 80 Seconds, *although not rare, is one of a small number with a peepshow.*

176. LANTERNE MAGIQUE DU HIGH-LIFE TAILOR. *c.1900, B. Molock, relief halftone, 4¼" x 5" (10.8 x 12.7 cm.).*
    This odd little image is the inside cover of a Parisian clothier's booklet, "High Life Tailor." It contains actual fabric, plus examples of stylish fashions associated with noted international figures including Teddy Roosevelt.

177. POUR VOS BEAUX YEUX. *1901, Albert Guillaume (1873-1942), Paris, H. Simonis Empis, Editeur, 21, Rue Des Petits-Champs, hand colored line cut, detail from album cover measuring 11" x 15" (28 x 38.1 cm.).*
    Guillaume was well known especially for his drawings of women in Art Nouveau fashion. The device depicted is likely to be a cosmorama, a late variant of the peepshow.

178-179. THE SECRET OUT AT LAST. *c.1890, anon., American, colored lithograph, 3¼" x 5¼" (8.2 x 13.3 cm.) and opened 4¾" x 5¼" (12.1 x 13.3 cm.).*
    Although not literally a peepshow this postcard image of women looking through a keyhole foretells what the peepshow of the 20th century was to become.

back cover
180. DETAIL. *Plate 143,* UNTITLED, *c. 1850, Chinese, watercolor on rice paper.*

Bibliography

Altick, Richard D. The Shows of London. *The Belknap Press of Harvard University Press: Cambridge, MA, 1978.*

Baltrusaitis, Jurgis. Anamorphic Art. *Harry N. Abrams, Inc.: New York, 1977.*

Barnes, John. Barnes Museum of Cinematography Catalogue of the Collection Precursors of the Cinema. *Saint Ives: Cornwall, England, 1967.*

Born, Wolfgang. *"Early Peep Shows and the Renaissance Stage,"* The Connoisseur. *1941.*

Ceram, C.W. Archaeology of the Cinema. *Harcourt, Brace & World, Inc.: New York, 1966.*

Cook, Olive. Movement in Two Dimensions. *Hutchinson of London: London, 1963.*

Fraser, Antonia. A History of Toys. *The Hamlyn Publishing Group, London, 1972.*

Füsslin, Georg, Nekes, Werner, Seitz, Wolfgang, Steckelings, Karl-Heinz W. and Verwiebe, Birgit. Der Guckkasten: Einblick - Durchblick - Ausblick. *Füsslin Verlag: Stuttgart, 1995.*

Ganz, Thomas. Die Welt Im Kasten. *Verlag Neue Zürcher Zeitung: Switzerland, 1994.*

Hammond, John H. The Camera Obscura. *Adam Highler Ltd.: Bristol, 1981.*

Harley, Basil. Optical Toys. *Shire Publications Ltd.: UK., 1988.*

Hultein, Karl. *"A Peep Show by Carel Fabritius,"* The Art Quarterly. *1952. Pp 278-290.*

Kaldenbach, C.J. *"Perspective Views."* Print Quarterly, *Great Britain, Vol. II, No.2, 1985. Pp 87-104.*

Kobe Museum Catalog. *Museum of Kobe City. 21 April - 27 May 1984.*

Koslow, Susan. *"De Wonderlijke Perspectyfkas: an aspect of 17th century Dutch painting,"* Marsyas. *Institute of Fine Arts, N.Y.U., 1967. Pp 35-56.*

Levie, Piérre. *"Optical Views,"* The New Magic Lantern Journal. *Volume 3, Number 3. October 1985. Pp 12-17.*

Mannoni, Laurent. Trois Siécles de Cinéma: de La Lanterne Magique au Cinématographe. *Éditions de la Réunion des musées nationaux, Paris, 1995.*

Milano, Alberto. Viaggio in Europa attraverso le Vues D'Optique. *Mazzotta: Milano, 1990.*

Nitschke, Günter. Japanese Gardens: Right Angle and Natural Form. *Benedikt Taschen Verlag Gmbh.: Koln, 1993.*

Prolo, Maria Adriana. A Magia da Imagem: a arqueologia do cinema através das colecçoes do Museu Nacional do Cinema de Turim. *1996.*

Prolo, Maria Adriana and Carluccio, Luigi. Il Museo Nazionale del Cinema: Torino. *Cassa di Risparmio di Torino: Torino, 1978.*

Quigley, Martin Jr. Magic Shadows. *Georgetown University Press: Washington, D.C., 1948.*

Robinson, David. The Lantern Image . *The Magic Lantern Society: London, 1993.*

Les boîtes d'optique : Un regard sur le monde.

Examinez la pièce autour de vous. Ensuite, quittez cette pièce, fermez la porte et regardez par le trou de la serrure. Vous constatez à quel point la vision de cette pièce a changé. Cette manipulation de l'espace remonte à fort loin. Les jardins de rochers japonais et les boîtes d'optique européennes, tous deux destinés à une transformation de l'espace, montrent des similarités étonnantes, bien que superficielles, et aussi de profondes différences. Grâce à des jardins de rochers disposés de façon remarquable, les japonais ont étudié depuis fort longtemps l'utilisation et la transformation d'un espace restreint comme un moyen de se mesurer au monde. Le visiteur était dirigé le long d'un parcours où il observait des rochers et du sable soigneusement placés de manière à montrer leurs relations et leur puissance de représentation du monde naturel. Au seizième siècle, les japonais expérimentèrent comment un point fixe d'observation modifiait et améliorait la vision du jardin de rochers. L'observateur devait apprécier le jardin non par un déplacement mais par une observation statique, grâce à une perspective extrêmement recherchée. Ces jardins étaient propices à la contemplation et à la méditation. Leur espace intérieur devenait un voyage en soi-même, permettant à chacun de réfléchir à sa personnalité et à ses rapports avec le monde.

A la même époque, en Europe, des artistes examinaient des notions similaires de point de vue et de perspective, dans un souhait de créer un monde à l'intérieur d'un espace retreint. Vers la fin du seizième siècle, tous les éléments de la boîte d'optique étaient présents: une enceinte close comportant au moins un orifice par lequel on pouvait pénétrer un espace intérieur limité. L'attrait de la boîte d'optique résultait, au moins en partie, de sa construction, faite autour d'un volume intérieur caché. Quelque chose d'intrinsèquement séduisant se dégage d'un tel espace. De la même façon que nous sommes fascinés par un cadeau sous emballage ou placé dans une boîte, ou par ce qui se cache derrière un rideau ou une porte fermée, on ressentait alors un sens du mystérieux et une certaine excitation à vouloir découvrir ce qui se trouvait dans une boîte et vérifier la promesse du camelot d'accéder à un monde plus vaste et attirant.

A la différence des jardins de rochers japonais, la boîte d'optique européenne n'était pas avant tout un moyen de se découvrir soi-même. Elle était essentiellement ouverte sur l'extérieur, reculant les frontières du quotidien et dirigeant le spectateur vers un monde sans cesse élargi. Cette invention devait plusieurs fois changer de nom et évoluer tandis qu'elle passait des mains de l'artiste et du scientifique à celles du camelot des rues, mais ce qui en résulté finalement fut un appareil qui devait stupéfier et amuser pendant plus de deux siècles.

Au dix-huitième siècle, la boîte d'optique, moyen de voyager dans le temps et l'espace, objet d'éducation et de plaisir, devint un élément d'amusement populaire dans une grande partie de l'Europe, des Etats-Unis, du Japon et de la Chine. Pendant presque deux cents ans, des montreurs annonçaient ce spectacle, en lutte avec d'autres saltimbanques dans les grandes ville d'Europe. Les rues des villes étaient non pas des lieux tranquilles mais plutôt des espaces encombrés et agités, des voies de passage bruyantes et pleines de circulation et de boutiques où hommes et femmes tentaient de vivoter, offrant marchandises ou services et proposant des spectacles de toutes sortes. La boîte d'optique devait rivaliser avec l'ours danseur, le cochon savant, le jongleur, l'équilibriste, l'illusionniste, le mime et le marionnettiste. Tous savaient la foule indispensable et, pour attirer l'attention, ils ajoutaient à leur appel propre des bruits de cloches, de trompe, de tambour, et d'autres instruments de musique. Face à un tel environnement, le montreur de boîte d'optique pouvait se poster dans une rue passante, près d'un édifice public, ou voyageait de foire en foire. Les foires étaient des réunions importantes et offraient le potentiel d'une large audience. En Angleterre, des foires telles que Bartholomew et Southwark débutèrent en tant qu'évènements religieux puis évoluèrent vers le commerce et le spectacle. Au début du dix-huitième siècle, la foire était devenue une réunion de masse pour tous ceux à la recherche de distractions variées. A quoi, en fait, ressemblaient les foires? Ecoutons une description de George Cruikshank:

"Nous... agrafâmes à la hâte notre mouchoir à l'intérieur du couvre-chef, vidâmes toutes nos poches, nous débarrassâmes de notre montre et de nos bijoux (car nous tenons pour abominable d'encourager le chapardage et le vol) et nous precipitâmes vers Smithfield, résolus au comble de la joie à voir tous les spectacles, monter sur toutes les balançoires, se risquer à toutes les loteries, lancer une bille devant chaque tour de Babel..."[1]

La ville n'était pas le seul endroit où voir les montreurs. On les trouvait traversant les campagnes, à la recherche d'une place de village où ils pourraient pousser les habitants du lieu à dépenser quelques piécettes pour accéder aux vues et aux histoires du temps. Que de merveilleux endroits à visiter: grandes villes, contrées lointaines, jamais vues auparavant et dont on n'avait peut-être même jamais entendu parler, sauvages batailles et grandioses monuments, choc et plaisir des images. Les vues étaient pour tous, pour ceux qui savaient lire et pour ceux qui ne savaient pas. La boîte mystérieuse faisait entrevoir un monde hors d'atteinte. A une époque où la vie de chacun était limitée par le temps et l'espace, la boîte suggérait l'évasion hors des limites quotidiennes. Parfois ces machines étaient dénommées Raree Shows, une prononciation semble-t-il inadéquate de Rare Show par des "étrangers", colporteurs venus de Suisse ou d'Italie. Au fil du temps, le nom Raree Show sera tellement utilisé et appliqué à la quasi totalité des spectacles de rue qu'il finira par être employé par les commentateurs pour tourner en dérision les formes de spectacle les plus ordinaires. Et pourtant, bien des spectacles de ce temps ont dû effectivement être d'un intérêt rare.

En fait, ces boîtes magiques, ces boîtes d'optique, ont dû avoir un grand pouvoir de séduction. Ecoutons les mots du Sergent Bell, un montreur de boîte d'optique d'un roman du dix-neuvième siècle, tandis qu'il tente d'attirer l'attention de jeunes spectateurs.[1]

" Maintenant faites silence, filles et garçons, mais avancez-vous et écoutez le Sergent Bell, le montreur de Raree-Show. Si parmi vous certains souhaitent rester ignorants, laissons les rentrer chez eux et se cacher la figure dans les mains; laissons-les rougir jusqu'à ce qu'ils soient aussi colorés qu'une tenue de soldat; mais si vous tous souhaitez connaître les choses et lieux merveilleux qui existent au monde, eh bien, faites un pas en avant, alors, jeunes demoiselles et jeunes messieurs, et voyez, et écoutez, et récoltez tous les fruits qu'apportent l'âge et l'expérience."[2]

Le montreur de boîte d'optique était dans une position exceptionnelle, proposant un spectacle de caractère à la fois public et privé. Son terrain était la rue, et, comme tout autre saltimbanque, il devait travailler avec sa voix, des instruments de musique, et peut-être un compère, pour attirer la foule. En ce sens, son spectacle participait d'une activité publique. Cependant, ce qu'il proposait, à la différence de la plupart des autres distractions de foule, était d'un caractère privé: un bref regard personnel dans une boîte. La plupart des boîtes d'optique semblent avoir possédé un nombre limité d'orifices pour la vue. D'une façon ou d'une autre, par conséquent, les histoires du montreur devaient être de qualité suffisante pour retenir la foule et l'intriguer assez pour qu'elle veuille payer pour un coup d'oeil. Il semble que certains montreurs, inquiets de la capacité d'attention de leur auditoire, et quelle que fût la qualité de ce qu'ils avaient à lui offrir, allongeaient le spectacle à l'aide d'animaux dressés, de lanternes magiques et de marionnettes (dont on pourra avoir un aperçu dans les gravures de ce livre).

Une boîte d'optique, qu'est-ce exactement? Cette question reste débattue. Une boîte d'optique est une boîte fermée, totalement ou à-demi, possédant au moins un orifice par lequel on aperçoit une vue. La boîte peut, ou non, utiliser des miroirs pour créer une illusion ou réorienter le point de vue. Cette définition est plus large que d'autres qui excluent les appareils à miroirs. Le zograscope, un appareil visuel simple utilisant à la fois une lentille bi-convexe et un miroir pour créer une illusion de profondeur dans les images placées à sa base, ne correspond pas à cette définition. Il ne possède pas de boîte ni d'espace clos, ce qui enlève à cet appareil le mystère qu'il y a à pénétrer un espace inaccessible et à voir une image cachée. Cependant, les visionneuses appelées boîtes d'optique ou optiques qui, non seulement utilisaient les principes du zograscope mais comprenaient aussi une boîte en partie fermée, doivent être considérées comme des boîtes d'optique, bien qu'elles aient utilisé un miroir pour ré-orienter le regard. Les boîtes d'optique avaient des noms différents selon les pays: en Hollande, optiques; en Allemagne, guckkasten; en Italie, mondo nuovo; en Angleterre et aux Etats-Unis, peepshow; (en France, boîte d'optique).

On sait assez peu de choses sur les origines de ce modeste appareil. En 1437 un italien, Leone Battista Alberti, prêtre, poëte, musicien, peintre, sculpteur, et probablement surtout connu comme architecte, mit au point un appareil pour observer des vues en perspective au travers d'un orifice dans une boîte. On en sait fort peu sur ces boîtes, mais Alberti est censé avoir possédé deux types de boîtes, une pour les scènes de jour et l'autre pour les scènes de nuit, dans lesquelles, *"... on voyait Orion et d'autres brillantes étoiles, ainsi que le lever de la Lune au dessus des rochers et des montagnes."*[3] Le travail d'Alberti eut lieu en un temps où nombre d'artistes et de scientifiques tentaient de comprendre la notion de point de fuite et d'arriver, avec l'illusion de la profondeur, à transformer un art bidimensionnel en une apparence de réalité tri-dimensionnelle. Cet intérêt pour la perspective devait conduire non seulement au développement de plusieurs systèmes optiques, dont les anamorphoses, le zograscope et les boîtes d'optique mais aussi, et ce qui est plus important, à influencer de façon profonde la manière de peindre.

A quelles autres sources pouvons-nous relier la naissance de la boîte d'optique? Certains ont souligné le travail d'un autre italien, Giovanni Battista della Porta, qui a popularisé la camera osbcura ("chambre noire") dans son livre Magia Naturalis en 1558. On peut tout-à-fait trouver des racines de la boîte d'optique dans cet appareil qui permet à une fraction de réalité d'être re-créée dans une pièce obscure grâce à une lentille focalisée sur le monde extérieur. La camera obscura, outil d'artiste, utilisait l'essence même de la boîte d'optique, une caisse et une lentille. Elle était en quelque sorte une boîte d'optique ouverte sur la nature et récréant la réalité dans une pièce ou sur la surface d'une chambre. Mais là se trouvait sa limite. Elle captait une réalité absolue et la transposait sur une surface pour l'étudier, plutôt qu'elle ne permettait à l'observateur d'apercevoir un monde fabriqué et peut-être imaginaire, qui existerait ailleurs dans l'espace et le temps. Néammoins, cette invention a dû influencer le développement de la boîte d'optique.

L'image anamorphique a eu, elle aussi, un impact sur le développement de la perspective et de la boîte d'optique. Dans une lettre de 1506, Durer se réfère à des dessins anamorphiques, expliquant qu'il part pour Bologne afin d'apprendre l'art de la perspective secrète[4]. En 1583, Egnacio Danti mentionne une image anamorphique dessinée dans une boîte et observable par un trou, ce qui suggère une boîte d'optique à anamorphoses. Plus tard, la même idée sera illustrée par Mario Bettini, en 1642.

Le développement de la boîte d'optique semble être fortement lié à quelques objets des 16ème et 17ème siècles, qui ont survécu jusqu'à nous. Marggraf, l'horloger d'Augsburg, construisit, sur une période de quatre ans, deux boîtes utilisées à la fois comme horloges et comme boîtes d'optique. L'une d'elles, construite en 1596, est un réceptacle décoré, muni d'une horloge sur le devant. Lorsque l'on soulève le couvercle de la boîte à 45 degrés, on se retrouve avec une boîte d'optique reflétée dans un miroir. Marggraf réalisa une autre de ses superbes horloges jouets en 1599. Cette dernière ne nécessitait plus que l'observateur lève un couvercle; à la place se trouvait un orifice sur le devant de la boîte. Marggraf s'appuyait sur les motifs du théâtre pour créer des vues. Son travail a conduit à de nouveaux développements de la boîte d'optique et influença de nouvelle manière notre perception de l'avant-scène théâtrale.

Bien que pour certains ces mécanismes marquent le début de la boîte d'optique, d'autres en revanche mettent en avant un petit groupe de peintres hollandais du milieu du 17ème siècle. Deux de ces artistes, tous deux élèves de Rembrandt, Carel Fabritius (1622-1654) et Samuel van Hoogstraten (1627-1678), se sont également vu attribuer l'"invention" de la boîte d'optique. Comment nommer avec précision leurs boîtes primitives reste discuté. Boîte d'optique semble constituer une association de mots pratique, et pourtant les historiens de l'art semblent vouloir faire une distinction supplémentaire, peut-être parce les boîtes grossièrement construites telles qu'elles sont apparues ultérieurement ne les ont pas impressionnés. Ils nomment ces boîtes primitives *boîtes à perspective,* tirant ce nom d'une phrase effectivement employée par Hoogstraten alors qu'il décrit sa propre invention et la dénomme *perspectyfkas.*[5]

On connaît sept de ces boîtes, toutes dans des musées.[6] Ce qu'elles ont de remarquable est l'illusion qu'elles donnent d'occupation de l'espace par des objets, grâce à des miroirs et des peintures sur le fond et les côtés de la boîte. L'observateur doit pénétrer cet espace en regardant par un orifice prédéterminé qui crée le point de perspective. Les peintures devaient être de qualité pour créer l'illusion voulue, et

Hoogstraten tout comme Fabritius semblent avoir eu le talent requis. Il est difficile d'imaginer l'impression fournie par ces boîtes sans les voir effectivement. La Petite Pièce Hollandaise exécutée par Hoogstraten est visible à la National Gallery à Londres. C'est un objet extraordinaire. Elle est placée au centre d'une petite salle. Lorsqu'on pénètre dans cette pièce, on reste étonné par la boîte elle-même, peinte d'images allégoriques sur trois faces et décorée d'une peinture anamorphique à son sommet. La boîte est ouverte sur un côté pour permettre à la lumière de pénétrer et au visiteur de voir l'intérieur sans distorsions. La vue depuis des orifices disposés dans deux coins opposés de la boîte est encore meilleure. C'est alors que la pièce se met à vivre. Le chien, ingénieusement peint sur le plancher et sur un côté d'un mur, s'assied; une chaise, peinte de la même façon, prend ses trois dimensions; un espace applati se courbe; des peintures, venues de nulle part, apparaissent sur les murs; et un toit peint sur deux faces prend une allure tri-dimensionnelle. On reçoit deux visions très différentes depuis les deux points de vue. Le mélange de l'illusion d'optique et du talent artistique ont un impact extrèmement puissant.

Les artistes ont employé des boîtes de formes variées pour créer leurs illusions, y compris des boîtes rectangulaires munies de trous sur plusieurs côtés, et même une boîte triangulaire. John Evelyn, le chroniqueur anglais, écrivait en 1656, émerveillé par une telle boîte *"On m'a montré une perpective, jolie et bellement représentée dans une boîte triangulaire, la Grande Eglise de Haarlem en Hollande, qui se regarde par un petit orifice à l'un des angles et qu'on a pû faire rentrer dans un superbe meuble. C'était réalisé de façon si exceptionnelle que tous les artistes et les peintres de la ville se pressaient pour la voire et l'admirer."*[7]

L'intérêt aig, pour les jeux de perspective de cette sorte semble s'être limité à une période relativement courte qui n'a pas dépassé trente ou quarante ans. La seule exception notable fût une boîte créée par le célèbre peintre anglais Thomas Gainsborough en 1780. Gainsborough créa une boîte pour observer des peintures transparentes sur verre.

Lorsque l'intérêt des artistes pour les boîtes à perspective disparut, cet appareil passa alors rapidement dans le domaine des distractions populaires. Wolfgang Born, l'un des plus sérieux auteurs sur le sujet des boîtes à perspective, a déploré cette perte d'intérêt, écrivant *"Puis la boîte d'optique perdit de son attrait. Du statut de jouet scientifique destiné à la curiosité d'une couche riche et éduquée, elle plongea au niveau d'un amusement pour les enfants, grâce auquel on peut voir des pays étrangers, les merveilles de la nature et des représentations d'évènements historiques."*[8] Dès 1719, l'historien de l'art Arnold Houbraken, parlant des boîtes d'optique, concluait, *"Dans ce domaine, on ne donne plus aujourd'hui que dans le grossier".*[9]

Le développement de la boîte d'optique ne s'est pas limité à l'Occident. Les chinois et les japonais envisageaient la perspective, bien que leur façon de la rendre s'appuyât sur des règles opposées à celles de la perspective occidentale. On prétend que dès le 16ème siècle les japonais ont eu connaissance, au travers de visiteurs venus du Portugal et d'Espagne, des méthodes artistiques occidentales utilisées pour un rendu du point de fuite et de l'ombre. Vers le 17ème siècle, des jésuites allemands tels que Aden School von Bell, dans une tentative d'importation du christianisme en Chine, emportaient avec eux des instruments scientifiques qui comprenaient peut-être des boîtes d'optique. Toutefois, ce n'est pas avant le 18ème siècle que ces idées se développèrent. L'influence de la perspective occidentale se reflète partiellement dans un sous-ensemble particulier de l'*ukiyoe* japonais, connu sous le nom d'image flottante, à ne pas confondre avec le titre générique global de "monde flottant" auquel se réfère le mot ukiyoe. Ces images flottantes ont intégré la méthode occidentale du point de fuite. Selon le journal japonais Gei-en Nissho, on a trouvé trace dans la dynastie chinoise Ch'ing d'une optique et d'images optiques appelées "images à perspective". Vers 1718, au Japon, un commentaire dit que *"pour un sen (1/100 de yen), il faut voir le plaisir diabolique de la visionneuse. Ce plaisir vaut un millier de pièces d'or."*[10] Les japonais avaient établi un lien entre l'occident, notamment la Hollande, et ces machines qu'ils avaient baptisées Machines Hollandaises ou, pour ce qui était des gravures, Ukiyoe à Cheveux Roux.

Une des formes les plus anciennes d'amusement populaire en compétition avec la boîte d'optique fût le cabinet de curiosité ou la boîte de curiosité. Ces cabinets représentaient une forme ancienne de collection et embellissaient la maison de bien des aristocrates. Ils ont été la base de certaines des plus anciennes collections de musées. Ils devinrent également une autre forme d'amusement populaire. Parfois, comme pour les boîtes d'optiques, on les a appelés rare ou raree show, mais ces boîtes s'éloignent des boîtes d'optique en ce qu'elles montrent sans les cacher des objets clairement visibles. Les montreurs exhibaient des objets divers, pouvant comprendre reliques religieuses, pièces de monnaie, médailles, squelettes fossilisés, souvenirs historiques, peignes, éventails, ou autres antiquités, tout en discourant à leur propos. Il y eut sans doute une part importante consacrée à l'échange de tels objets. Richard Atlick, dans son livre The shows of London, indique une boutique à Paris appelée *"l'Arche de Noé, où l'on peut acheter toutes les Curiosités naturelles ou artificielles qui se puisse imaginer, Indiennes ou Européennes, de luxe ou usagées, telles que Meubles, Coquillages, Ivoires, Porcelaines, Poissons desséchés, Insectes rares, Oiseaux, Images, et un millier d'extravagances exotiques."*[11] Un montreur connu de cabinet de curiosités fût James "Jemmy" Laroche (planche 18). Né vers 1688, Laroche fut, dès l'enfance, chanteur et acteur. On dit qu'une partie de sa célébrité est due à une complainte concernant le Raree-Show, jouée au violon et qui incluait :

*"Voici les Anglais et Français, si polis mutuellement,
Tendez la main, soyez amis, et embrassez-vous à la diable!
    O Raree-Show, O superbe spectacle, O spectacle joli,
    Voyez-le mon beau spectacle, O Raree-show,
    regardez mon spectacle joli
Voici le Grand Turc et le Grand Roi sans territoire,
Qui galopent courageusement pour la Hongrie et la Pologne
    O Raree-Show, O superbe spectacle, O spectacle joli,
    Voyez-le mon beau spectacle, O Raree-show,
    regardez mon spectacle joli"*

Revenons maintenant à la boîte d'optique et tournons-nous vers les montreurs et leurs machines. Imaginez la boîte d'optique, splendide parfois mais le plus souvent extrèmement simple, poussée sur un chariot ou portée par un savoyard qui passait de village en village. Nombre de montreurs des premiers temps vinrent d'Italie du nord et, tandis qu'ils se répandaient en Europe, on pouvait entendre leur appel *"Chi vuol veder il Mondo Nuovo ?"* (Qui veut voir le Nouveau Monde?). Alors, imaginez ces montreurs itinérants, humbles d'aspect et qui, pour attirer la foule, choisissent un endroit favorable et utilisent un instrument à faire de la musique, sinon musical. On raconte que P.T. Barnum, l'un des grands du monde du spectacle en Amérique, ayant appris que l'orchestre de rue placé gracieusement à l'entrée de son musée n'était pas très bon, aurait expliqué qu'il employait ces gens pour attirer la foule, mais pas pour qu'ils jouent assez bien pour la retenir hors de l'exposition. Ces montreurs de boîte d'optique devaient être des conteurs de premier ordre s'ils voulaient convaincre des badauds peu aisés de se séparer d'un précieux argent. Il y a peu de récits concernant des montreurs de boîtes d'optiques, gens qui, de par la nature même de leur activité, étaient aujourd'hui ici et demain ailleurs, laissant seulement des souvenirs. Le vieil Harry, un montreur du 17ème siècle, saisi dans un dessin de Laroon (planche 22), est l'un des rares montreurs connus et dont on a gardé trace. Il passa sa vie dans les rues de Londres, avec sa boîte sur le dos, souvent accompagné d'un hérisson apprivoisé, à la recherche d'un auditoire. Voici une partie d'un poème sur le Vieil Harry et son spectacle:

"... Le son de sa clochette vous appelle,
Pour venir voir son Raree-Show, vous les spectateurs;
Vous serez ravis de venir le voir,
Et de payer un sou et regarder au travers de la loupe,
Où chaque objet qu'il vous présente,
Ravira votre imagination et vous enchantera!
Des objets étranges en nature et en nombre,
Tellement divers qu'ils vous émerveilleront;
Lorsqu'on regarde au travers de la loupe on jurerait,
Que d'un coup d'oeil on embrasse le vaste monde." [12]

Les vues, et même les histoires, pour celles qui subsistent, ne peuvent re-créer le spectacle, car celui-ci dépendait des montreurs et de leur habileté de conteur. Pouvaient-ils faire apparaître une image, la rendre plus forte que la réalité, donner libre cours à l'imagination et la laisser courir, amener à mettre, au moins pour un temps, le quotidien de côté et faire jeter un coup d'oeil sur le majestueux ou l'effrayant, le vrai ou l'extravagant? Pouvaient-ils envoûter, créer l'illusion? C'est la boîte qui mettait le conteur en valeur, et non l'inverse. Dan présenté dans le livre Through Green Glasses illustre parfaitement le fait que le montreur est un conteur. Voici une description de Dan.

"J'eu un jour la chance de rencontrer dans une ville d'Irlande du sud un petit vieillard qui avait gardé à l'esprit d'étranges coutûmes légendaires. Il était totalement illettré mais avait réussi à se constituer une collection de faits quasi historiques et de fables... comme celles du vieil Esope, qu'il pouvait réciter d'un air solennel à tout client de passage.

Dan, car tel était son prénom, possédait l'imagination... Tous les personnages qui peuplaient ses histoires légendaires pensaient comme Dan, agissaient comme lui, et parlaient avec son superbe accent irlandais. Dan possédait une qualité qui faisait oublier presque toutes ses erreurs de conjugaisons et tous ses rapprochements malheureux de noms et de verbes, un extraordinaire sens de l'humour." [13]

Ni la vérité ni la précision historique n'ont dû être d'une importance majeure dans l'esprit de nombreux montreurs. L'hyperbole, l'art de déformer la vérité, et la création d'une vérité toute neuve n'étaient pas hors d'atteinte, d'après ce que Dickens rapporte d'un tel spectacle dans une foire, où "Une boîte d'optique qui avait commencé par la Bataille de Waterloo, et depuis lors avait servi à toutes les autres batailles ultérieures, en modifiant le nez du Duc de Wellington, attirait ceux qui veulent étudier l'histoire illustrée." [14]

Il y avait en fait deux types de boîtes d'optiques et il est nécessaire de saisir leurs différences de construction. La première avait pour caractéristique importante la profondeur. Cette dernière était requise à cause des orifices d'observation à l'avant, qui comprenaient une lentille. La vue ou les vues était placée plus loin à l'arrière de l'instrument. Eventuellement, il y avait une avant-scène pour encadrer les vues. La boîte comportait une espèce de sommet transparent pour la lumière, ou un volet ou couvercle, qui, une fois soulevé, permettait l'arrivée directe de la lumière sur l'image. On pouvait remplacer cet éclairage par celui d'une bougie placée à l'intérieur de la boîte, créant alors l'impact de la lumière jaunâtre d'une bougie dans un espace restreint. De telles boîtes possédaient une cheminée de ventilation pour la fumée. Certaines boîtes possédaient également une seconde ouverture à l'arrière, permettant un éclairage dorsal de la gravure et créant par là un effet de vue nocturne. Il y avait également la possibilité d'utiliser des bougies à l'arrière de la gravure pour obtenir le même effet. De plus, de nombreuses boîtes, parmi lesquelles certaines sont illustrées dans ce livre, possédaient une série de cordelettes sur un côté. Ces cordelettes étaient reliées directement aux images, souvent à l'aide de petits crochets et d'oeillets collés sur les images mêmes, et permettaient au montreur de manipuler les vues. En tirant ou en relâchant une corde, ce dernier pouvait abaisser ou faire monter une image dans une aire de stockage située sous l'aire centrale de spectacle ou au dessus d'elle. Ces boîtes pouvaient également montrer plusieurs images et certaines utilisaient même des mécanismes à manivelle pour faire défiler des images en rouleau.

Le second type de boîte d'optique, celle qui est communément appelée la boîte d'optique ou boîte à perspective, était plus haut que profond, et combinait une lentille frontale et un miroir placé à 45 degrés. On regardait par la lentille vers le miroir et le regard était réorienté vers le bas, vers la vue ou les vues. De telles boîtes pouvaient posséder une avant-scène et permettre la vision d'un empilement de plusieurs images, mais elles n'avaient pas de mécanisme de changement des vues.

Avec le succès de ces visionneuses, vint la production des vues à grande échelle. Bien qu'aient existé des images confectionnées exclusivement pour les boîtes sans miroir, la plupart des vues, appelées en français vues d'optique, pouvaient être utilisées avec le zograscope, les boîtes à perspective, ou les boîtes d'optique. Ces vues à perspective semblent avoir été produites sur une durée de presque cent cinquante ans (1690-1840), la production la plus intensive couvrant la période 1740-1790. On connaît au moins six centres de production: Londres, où un petit groupe de sociétés telles que R. Sayer, H. Overton, Laurie and Whittle, et Bowles produisirent des gravures de haute qualité; un autre centre de négoce à Paris, concentré dans la rue Saint-Jacques, et où les gravures étaient moins réputées; Bassano, Italie, où ce commerce était dominé par la famille Reondini; Augsburg, un centre allemands de livres et de gravures (où fût construite la première des horloges boîtes d'optique de Marggraf); Amsterdam; et Vienne où de nombreuses images furent produites par Hieronimus Loschenkohl.

Un format étonnamment similaire semble être apparu dans les six centres de production, ce qui permit un échange d'images d'une région à l'autre et, sans aucun doute, un copiage du travail de chacun par les autres.

Toutes les images étaient de format horizontal et aboutirent à un standard européen de 45.7 x 30.5 cm.

Même si ces images, réalisées à partir d'une gravure sur cuivre, provenaient d'une technologie similaire, des différences existaient dans les matériaux utilisés comme support. La majorité des vues à perspective était imprimée sur papier mince, alors que des vues identiques appelées à supporter les aléas des spectacles publics semblent avoir été imprimées sur un carton plus épais et plus rigide. On peut distinguer deux types d'images: les images standard et celles pourvues de trous, de découpures, ou de perforations. Les premières étaient sans aucun doute les plus courantes. Elles autorisaient la vision directe, ainsi qu'un examen avec des visionneuses telles que le zograscope ou des boîtes à perspectives plus élaborées. Bien plus intéressantes étaient les vues qui comportaient des trous d'épingle. Vues de face sous une lumière directe, ces images avaient une allure "normale". Cela changeait lorsqu'un éclairage arrivait de l'arrière. Les évidements ou les trous étaient recouverts au dos grâce à diverses méthodes, telles que l'utilisation de papiers colorés, de peintures de couleur, ou de vernis; si l'image placée dans la boîte d'optique était éclairée par l'arrière, un effet différent et souvent spectaculaire en résultait. Le plus souvent, des lumières dans les pièces d'habitation semblaient luire, la scène de jour semblant alors revivre de nuit. L'effet de transformation fût de plus en plus utilisé pour obtenir des illusions toujours plus élaborées.

Il ne fallut pas longtemps pour qu'un tel amusement populaire des places publiques devienne disponible chez soi. On vit tout d'abord une miniaturisation de la boîte d'optique. Des graveurs célèbres, mais probablement aucun davantage que le fameux Martin Engelbrecht, réalisèrent des ensembles de vues de petite taille pour visionneuses de salon. Il y eut une grande variété de ces ensembles de vues, dont la majorité a, semble-t-il, été produite à Augsburg pendant la période 1740-1790. En général un ensemble comprenait six ou sept vues qui, une fois placées ensemble dans une boîte d'optique, créaient une vue entière et en profondeur. La dernière vue servait de fond et la première constituait une sorte d'avant-scène, chaque vue intermédiaire apportant un surcroît d'information pour aboutir à une vue complète. Ces ensembles présentaient des sujets extrêmement variés, incluant des thèmes religieux, des fêtes, des foires, des scènes de chasse, des batailles, des vues marines et des scènes de théâtre. La taille de ces ensembles pouvait varier selon la dimension, tout aussi variable, des visionneuses.

Vers le dernier quart du 18ème siècle, des livres aussi réputés que les Récréations Raisonnées de Hooper montraient des illustrations et fournissaient des instructions sur la façon de construire de telles boîtes d'optique destinées aux plaisirs de salon. Hooper, décrivant la manière de fabriquer une boîte d'optique qu'il appelait une *galerie sans fin* (planche 28), conclut comme suit:

" *...les objets à l'intérieur de la boite,... peints sur les deux côtés, sont réfléchis successivement d'un miroir à l'autre; et si, par exemple, le sujet peint représente des arbres, ils sembleront constituer une très longue file dont l'oeil ne peut distinguer la fin: car en répétant les objets, chaque fois plus faiblement, chacun des miroirs contribue grandement à accroître l'illusion.*"[15]

Vers 1820, les imprimeurs commencèrent à assembler des feuilles de papier les unes avec les autres pour obtenir des boîtes d'optique en accordéon, souvenirs d'évènements historiques et d'anniversaires. Ces jouets furent rejoints par d'autres variations sur le thème, telles que les polyoramas panoptiques, le mégaletho-scope et les oeufs optiques en albâtre. Entrèrent également en compétition le diorama, le panorama et le cosmorama. Vers la fin du 19ème siècle les montreurs itinérants avaient déserté les rues des grandes villes et n'étaient que de simples visiteurs occasionnels dans les villes et villages à l'écart.

Que restait-il alors de la boîte d'optique? Elle s'était transformée, passant essentiellement d'un objet transportable à un élément fixe. Elle se retrouvait sur les foires et sur les quais des ports. Le mutoscope fut l'un des derniers parmi une série de renouvaux de la boîte d'optique, tels qu'on pouvait les voir à l'extrême fin du 19ème siècle, un sou permettant alors de jeter un coup d'oeil au film le plus récent ou à une danseuse. Parmi les pionniers du cinéma, nombreux sont ceux qui ont joué avec les vues enfermées dans des boîtes avant d'évoluer vers la projection d'images sur un écran. Thomas Alva Edison, le plus grand génie inventif des Etats-Unis, travailla à l'invention des films mais s'inquiétait du potentiel commercial et de la qualité technique d'images projetées sur un écran.[16] C'est ainsi qu'en 1894 ses premiers films furent donnés au public, non pas sur un écran mais à l'intérieur d'un appareil inspiré de la boîte d'optique, le Kinétoscope, où un seul spectateur à la fois pouvait glisser le regard.

L'histoire de la boîte d'optique au 20ème siècle n'est pas immémorable. Incapable de lutter efficacement avec le film, la boîte d'optique s'est trouvée des spectateurs grâce aux images érotiques et pornographiques. C'est ainsi que nous restent encore aujourd'hui les deux mots peep-show, assemblage toujours évocateur, et porteur d'images fortes, même si le lien avec ses antécédents n'est pas évident.

Ce qui nous reste comme documentation sur les boîtes d'optique des 18ème et 19ème siècles, ce n'est pas, avant tout, les objets eux-mêmes mais plutôt leurs représentations picturales. Vers le milieu du 18ème siè-cle, au moment où la boîte d'optique devint un amusement familier, son illustration fit, elle aussi, partie de la culture populaire. La boîte et ses clients devinrent un sujet d'inspiration pour les artistes du temps. Les images, romantiques ou satiriques, de ces porteurs, de leurs machines et de leurs spectateurs, abondèrent. Des artistes réputés tels qu'Hogarth, Boucher, Tiepolo, Longhi, Rowlandson, Cruikshank et Gavarni ont incorporé la boîte d'optique à leur art. L'illustration peut se trouver dans les livres, journaux, revues et gravures, mais aussi sur des éventails, des boîtes, des statuettes, des horloges, des carreaux de faience et des assiettes. Le talent artistique reflété dans ces images est très variable. Mais quelle que soit leur qualité artistique, elles abondent de commentaires politiques et sociaux, indiquent les modes du temps, et nous font apercevoir la richesse et la variété des amusements de rue.

Il n'est guère étonnant que ces représentations des spectacles de boîtes d'optique, tout comme ces spectacles eux-mêmes, aient le pouvoir de nous transporter en d'autres temps et lieux, et puissent, elles aussi, allier la réalité au mystère. Observez une gravure, vous y trouverez déjà beaucoup. Regardez toutes les illustrations, et alors apparaissent des tendances et des thèmes récurrents. Trois tendances, l'une concernant les montreurs et leur équipement, une autre concernant leurs spectateurs, et une autre liée aux rapports du montreur avec sa boîte, nous invitent à pénétrer plus avant dans ces images.

Les montreurs: on peut les replacer dans leur

époque d'après leur costume, et il y a largement à dire quant à leur statut social. Il est probable que les meilleurs d'entre eux créaient eux-mêmes leurs habits dans l'intention d'impressionner favorablement un public potentiel. Le port du chapeau est devenu rare, mais l'on peut voir dans ces images à quel point il a été courant. Dans presque toutes les illustrations les montreurs portent le chapeau d'un Monsieur, même s'il est parfois défraîchi et de travers. Les chapeaux n'étaient pas seulement une nécessité du temps, une marque sociale; ils servaient aussi, prosaïquement, à cacher les poux. Il n'est guère difficile de préciser que les montreurs de boîtes d'optique étaient, de façon générale, de condition fort modeste.

Ensuite, les spectateurs: le trait le plus marquant est la prépondérance des enfants. Pourquoi cela? Les enfants étaient-ils les principaux spectateurs des boîtes d'optique? Les critiques d'un spectacle aussi "navrant" l'ont affirmé. Mais, avec des finances plus que limitées, les parents dépensaient-ils l'argent pour leurs enfants? Certes les enfants faisaient partie du public, mais il semble improbable qu'ils aient pû en constituer la charpente, tout simplement parcequ'avant l'ère Victorienne l'enfance n'était pas regardée comme une période privilégiée ni les enfants autrement que comme de petits adultes. Comment expliquer alors leur omniprésence dans ces images? Probablement s'agit-il d'une astuce de l'artiste pour créer un sentiment d'innocence et d'émerveillement. Et, de manière intéressante, dans bien des gravures à caractère satirique les enfants sont utilisés pour confronter l'innocence à la corruption du monde réel, et les spectateurs adultes ont un air de dupe ou une allure enfantine qui poussent à les tromper.

Enfin, les rapports du montreur avec sa boîte: constatez avec quelle fréquence l'on voit le montreur en train de tirer sur les ficelles. Certes, il y avait des cordelettes sur la plupart des boîtes, ce qui permettait au montreur de changer les vues, et ainsi l'artiste avait-il, peut-être et avant tout, le souci de la précision historique. Mais d'autre part, peut-être n'a-t-il pû résister à la tentation d'utiliser la force d'un tel signe visuel pour faire du montreur le centre du tableau. C'est en tirant les ficelles que le montreur crée la réalité et lui donne forme. Tirer des ficelles, phrase ô combien évocatrice, remonte aux débuts de l'histoire des marionnettes, mais pourrait aisément s'appliquer à la boîte

d'optique et à ses montreurs. Car c'est bien et la réalité et nous-mêmes qu'ils manipulaient, lorsqu'ils tiraient les ficelles.

Quels autres thèmes vont ressortir, cela ne dépend que de vous, de votre point de vue et de votre capacité à voir au delà d'une surface plane. Lorsque vous regarderez ce livre, vous verrez bien ce que vous allez voir. Risquez-vous à approcher d'une page quelconque l'orifice de la boîte d'optique, à y jeter un coup d'oeil et, au dela de l'image, à apercevoir ce temps où le mystérieux et le magique pouvaient s'obtenir pour "rien qu'un p'tit sou". Peut-être arriverez-vous à recréer un quelque chose venu de la boîte, en voyageant hors de vous-même jusqu'à une autre époque et un autre lieu. Sinon, peut-être, apprécierez-vous ces images tout comme si vous entriez dans un jardin japonais, ces images et les rapports qui les unissent tels des rochers harmonieusement disposés. Regardez-les, puis méditez sur le monde qui vous entoure.

Annotations

1. LA PIÈCE CURIEUSE. *vers 1820, Antoine Béranger (1785-1867), lithographie, 15.9 x 21 cm.*
   Cupidon pose son arc et sa flèche pour aider deux jeunes femmes à regarder dans la boîte d'optique.

1A. MONTREUR DE BOÎTE D'OPTIQUE. *vers 1910, Lance Thackeray, The People of Egypt, publié par A. and C. Black Ltd., 4, 5 et 6 Soho Sq., Londres, 1916, seconde éd., p. 4, reproduction typographique d'un dessin au crayon, 15.2 x 22.2 cm.*
   Lance Thackeray publia deux ouvrages de dessins sur la vie en Egypte au début du siècle. De nombreuses illustrations de The Light Side of Egypt furent utilisées sur des plaques de lanterne magique.

2. NUREMBERG BEI FR. CAMPE. *vers 1830, anon., détail d'une eau-forte rehaussée à la main, 2.5 x 2.5 cm.*

3. ILLUSIONS DE L'OPTIQUE. *1769, Coutubrier, [Edmé-Gilles Guyot], Nouvelles Récréations Physiques et Mathématiques, p. 60, gravure rehaussée à la main, 8.9 x 14 cm.*

4. LE SIÈGE DE GIBRALTAR. *1874, anon., reproduction d'une partie d'une gravure de Setchel, [Henry Morley], Memoirs of Bartholomew Fair (p. 306), publiée par Frederick Warne and Co, Londres, gravure sur bois, 10.2 x 5.1 cm.*
   Reproduction d'une image tirée d'une gravure de Setchel, elle-même basée sur une peinture sur éventail de divers spectacles de la Foire à Bartholomew. Il a été dit que l'éventail avait été réalisé en 1721 mais, comme l'indique Morley, le siège de Gibraltar n'eût lieu qu'en 1727, et par conséquent la scène correspondante n'a guère pû apparaître dans une boîte d'optique avant 1728. Des évènements historiques célèbres, telles les batailles, faisaient rapidement partie du répertoire des boîtes d'optiques.

5. LE SERGENT BELL ET SON RAREE-SHOW. *1839, anon., Sergeant Bell And His Raree-Show (frontispice), embelli de gravures sur bois par Cruikshanks, Thompson, Williams, publié par Thomas Tegg, 73 Cheapside st., Londres, gravure sur bois, 8.9 x 10.2 cm.*
   Dans cette édition, le montreur dit de la Foire à Bartholomew qu'il s'agit d'une réunion très dangereuse. Il décrit certaines de ses vues dont "Le géant irlandais, la chinoise et le nain, la ménagerie royale d'Atkins, le superbe dauphin, la troupe parisienne, le nègre blanc, l'indien noir et sauvage, et le jeune géant. Voici le chef cannibal, les fêtes de Legerdemain, le théâtre de Richardson, les caravanes de Wombwell, et en plus la danse sur corde raide, les acrobaties, et mille autre choses." Le montreur achève ce petit discours en disant, "Voici l'endroit (sa boîte d'optique) ou grands et petits peuvent visiter la foire sans danger!".

6. LA BOÎTE D'OPTIQUE. *vers 1740, "William Hogarth" (attribution erronée), huile sur toile, 80 x 63.5 cm.*
   Une plaque sur l'encadrement de cette peinture, à l'époque dans les mains de Lady Burdett Coutts, l'attribue à William Hogarth. Cette attribution n'est pas crédible. Il est d'ailleurs étonnant que la famille Coutts, des collectionneurs anglais réputés, aient pû prétendre une telle chose. Peut-être le célèbre Hogarth est-il passé un jour dans les environs. Hogarth était intéressé par la boîte d'optique et sa représentation de la Foire de Southwark est incluse dans ce livre.

7-9. VUE DE L'EGLISE ST. PIERRE A VIENNE. *18ème s., anon., gravure rehaussée à la main, 45.7 x 30.5 cm.*
   Une vue d'optique typique avec le résultat en lumière directe ou lors d'un éclairage dorsal. L'arrière de la vue est également présenté. La description de la scène est faite en allemand et en italien.

10. ZOGRASCOPE. *vers 1800, en bois, 20.3 x 55.9 cm.*
    Cet appareil n'est guère différent de celui présenté dans L'OPTIQUE (planche 13) et est installé de la même manière.

11. PANORAMAS-JOUETS. *vers 1850; à gauche en bois (14 x 11.4 cm); à droite, en papier, 14.6 x 10.2 cm.*
    Curieusement appelés panoramas, ces jouets une fois assemblés ressemblaient à des zograscopes-jouets. Chaque appareil comportait une série de vues.

12. VUE GENERALE DE LA VILLE DE MADRID. *1794, anon., publié le 12 mai 1794 par Laurie and Whittle, 53 Fleet st., Londres, gravure rehaussée à la main, 45.7 x 30.5 cm.*

13. L'OPTIQUE. *vers 1790, J.F. Casenave d'après Louis-Léopold Boilly (1761-1845), aquatinte rehaussée à la main, 45.7 x 54.6 cm.*
    Cette image est réputée probablement autant pour les personnages que pour la démonstration d'un zograscope. L'enfant pouvait examiner une gravure (une vue d'optique) en regardant par la lentille et à l'aide du miroir qui renvoyait l'image placée en dessous. Les principes du zograscope furent inclus dans la boîte d'optique. Les personnages représentés sont censés être la seconde épouse du révolutionnaire français Georges Jacques Danton ainsi que son fils né d'un premier mariage.

14. CAMERA OBSCURA PORTABLE. *vers 1840, Angleterre, bois, 30.5 x 15.2 cm.*

15. CAMERA OBSCURA. *vers 1760, anon., [Diderot et d'Alembert], L'Encyclopédie, (1751-1772), gravure, 16.5 x 28.6 cm.*
    Cette gravure présente plusieurs cameras obscuras de grandes dimensions, y compris une de la taille d'une salle.

16. SANS TITRE. *1785, anon., d'après Gaetano Zompini (1700-1778), Le Arti Citta Di Venezia ("les arts par les rues de Venise"), n° 55, gravure, 18.4 x 26.7 cm.*

17. LA LANTERNE MAGIQUE. *vers 1830, Schoal, lithographie par Formentin and Co, lithographie rehaussée, 19.5 x 21.6 cm.*

18. O, SPECTACLE RARE. *vers 1710, I. Smith d'après H. Cerk, demi-teinte, 22.9 x 30.5 cm.*

19. LA CURIOSITE. *vers 1770, Noël le Mire (1724-1800), d'après une peinture de Reinier Brakenburg (vers 1660), eau-forte, 38.7 x 30.5 cm.*

20. SANS TITRE. *vers 1830, anon., Hollande, lithographie rehaussée à la main, 17.8 x 12.7 cm.*

21. SANS TITRE. *vers 1840, anon., gavure rehaussée, 12.7 x 17.8 cm.*

22. OH RAREE SHOW, RARE CHOSE A VOIR, CHI UUOL UEDER MERANIGLIE. *1821, Pierce Tempest d'après Marcellus Laroon, The Cries of London, illustration n° 22, gravure, 15.3 x 21.6 cm.*
    Cette gravure a été ré-éditée et redessinée pendant plus de 150 ans. Elle est basée sur une gravure de Laroon, artiste hollandais émigré en Angleterre, qui faisait partie de l'importante série The Cries of London par Tempest, publiée en 1687. On devait voir huit éditions de cet ensemble se succéder entre 1687 et 1821. Laroon a indiqué les noms d'un grand nombre de personnages représentés dans sa série des Cris, et parmi eux Poor Jack, Colly Molly Puff, Madame Creswell et Tiddy Diddy Doll. Le montreur de boîte d'optique est Le vieil Harry, un londonien qui exerçait l'essentiel de son activité dans les environs de Moorfields.

23. BOÎTE D'OPTIQUE. *vers 1820, bois polychrome, 53.3 x 63.5 x 38.1 cm.*

24. OPTICIEN. *vers 1820, gravure, 5.1 x 5.1 cm.*
    Remarquez la boîte d'optique posée sur le comptoir.

25. VUE DE LA BOÎTE D'OPTIQUE. *Planche 26 et 27.*

26-27. BOÎTE D'OPTIQUE. *18ème siècle, Hollande, bois, 48.3 x 34.3 x 28 cm.*
 Cette boîte d'optique portative était probablement utilisée autant pour des spectacles en extérieur que pour des séances de salon. Elle se repliait en un objet facile à transporter et, une fois installée, mesurait 95.3 cm.

28. LA GALERIE SAN FIN. *1787, anon., [William Hooper],* Rational Recreations, *3ème édition, illustration n° 6, gravure, 9.5 x 14 cm.*

29. BOÎTE D'OPTIQUE. *vers 1800, Hollande, bois polychrome, 52.1 x 86.4 x 35.6 cm.*

30. VUE DE LA BOÎTE D'OPTIQUE. *Planche 29.*

31. SANS TITRE. *1777, anon., [l'Abbé Jean Antoine Nolet],* Leçons de Physique Expérimentale, *Tome V, XVII Lescon, planche 7, p. 550, gravure, 10.8 x 14.6 cm.*

32. BATAILLES DE WUNTCHEN ET BOUTZEN. *18ème siècle, anon., gravure rehaussée à la main, 45.7 x 30.5 cm.*

33. VUE DE LA MOSQUE DU SULTAN MECHINET ET DE SALIN, CONSTANTINOPLE. *18ème siècle, anon., gravure rehaussée à la main, 45.7 x 30.5 cm.*
 La description de cette scène est faite en latin, français, italien et allemand. Il était fréquent que ces vues comportent des descriptions en plusieurs langues, ce qui augmentait leur attrait.

34. SPLENDEURS DE LA ROME ANCIENNE. *18ème siècle, anon., gravure rehaussée à la main, 45.7 x 30.5 cm.*

35. PROSPECT DER LONDON SCHENCKE, GERGEN DER ALLEE ZU GOTTINGEN. *18ème siècle, anon., gravure rehaussée à la main, 45.7 x 30.5 cm.*
 Il s'agit d'un "pub" londonien à Gottingen, ville universitaire d'Allemagne centrale.

36. BOÎTE D'OPTIQUE. *18ème siècle, Hollande, bois, 19 x 41.9 x 13.3 cm.*

37. BOÎTE D'OPTIQUE. *18ème siècle, Hollande, bois, 14.6 x 17.2 x 43.2 cm.*

38. VUE DE LA BOÎTE D'OPTIQUE. *Planche 37.*

39. VUE DE LA BOÎTE D'OPTIQUE. *Planche 36.*

40-41. BOÎTE D'OPTIQUE, CARNAVAL. *vers 1830, France, lithographie rehaussée à la main, 22.9 x 14 x 58.4 cm.*
 Cette boîte d'optique en accordéon et à trois orifices, est constituée de six plaques maintenues par un accordéon de papier et présente une vue haute en couleurs d'une foire en France. Par le trou principal on aperçoit des chevaux et carrioles en grand nombre tandis que les petits orifices de part et d'autre montrent des piétons sur les trottoirs. Ces boîtes d'optique pliantes, souvent appelées vues télescopiques, constituaient, tout comme les oeufs d'optique, des souvenirs appréciés d'évènements importants ou de lieux célèbres.

42. POLYRAMAS PANOPTIQUES. *vers 1850, bois et papier, 15.2 x 12.7 x 12.7 cm; 21.6 x 17.8 x 15.2 cm; 25.4 x 22.9 x 16.5 cm.*
 Ces trois visionneuses étaient fabriquées en France et généralement considérées comme des dioramas miniatures. Elles utilisaient les mêmes principes que les boîtes d'optique. Les vues, fabriquées de manière astucieuse, produisaient souvent deux résultats. Une première image était obtenue alors que le volet supérieur était ouvert pour permettre un éclairage direct. Lorsque ce volet était fermé et celui du fond ouvert, l'image était éclairée par l'arrière; ceci permettait d'observer ce qui était imprimé au dos, et ainsi apparaissait une vue nocturne de la même scène ou même une autre scène totalement différente.

43. POLYRAMAS PANOPTIQUES CONIQUES. *vers 1850, France, fer blanc; à gauche, 8.9 x 15.2 cm; à droite, 10.8 x 17.8 cm.*
 Ces petites visionneuses coniques fonctionnaient de la même façon que les visionneuses en forme de boîtes.

44-45. BOÎTE D'OPTIQUE JOUET. *vers 1820, bois et papier, 9.5 x 31.7 x 8.9 cm.*
 Ce jouet était livré avec une série de vues. Remarquez l'ouverture à l'arrière permettant à la lumière de pénétrer lors de l'observation des vues.

46-47. OEUF D'OPTIQUE. *vers 1880, albâtre, 5.1 x 12.7 cm.*
 Oeuf en albâtre marqué "Chûtes du Niagara". Contient trois scènes différentes, l'une faite de verroterie et de coraux, une autre montrant la Maison des Cataractes et la troisième représentant les chûtes elles-mêmes. Une petite lentille au sommet de l'oeuf ainsi que l'albâtre translucide laissent pénétrer suffisamment de lumière pour permettre de regarder les vues.

48. MEGALETHOSCOPE. *vers 1865, bois, 33 x 55.9 x 83.8 cm.*
 Le Mégalethoscope fût breveté et exposé par Carlo Ponti en 1860. Il fonctionnait comme la boîte d'optique ou le polyorama, mais avec des vues photographiques au lieu de dessins ou de gravures.

49-50. BENEDICTION DU PAPE A ROME. *vers 1865, tirage sur albumine, 35.6 x 25.4 cm.*
 Vue de la basilique St Pierre le Jour de Pâques, en éclairage direct ou dorsal.

51. NOUVELLE LANTERNE MAGIQUE, PIÈCES CURIEUSES. *vers 1850, anon., lithographie de C. Aubert, Paris, 22.9 x 29.2 cm.*
 La couverture de ce recueil de chansons annonce de nouvelles pièces pour la lanterne magique par les auteurs de la première pièce pour lanterne magique, et pourtant l'appareil présenté est une boîte d'optique.

52. SANS TITRE. *vers 1900, anon., carte postale, 8.9 x 14 cm.*
 Cette carte postale représente un personnage regardant une vue dans un appareil du genre boîte d'optique. Cet appareil est probablement inspiré d'une visionneuse pour cartes stéréo ou d'un mutoscope.

53. GEDENK-BOOG TER BEGRAAF-PLAATS DER UITGETEERDE ACTIONISTEN. *vers 1720, anon.,* Het Grote Boek Der Dwaasheid *(Le Grand Livre de la Folie), Hollande, eau-forte, 45.7 x 34.3 cm.*
 Cette gravure provient d'un livre qui connut plusieurs variantes du fait qu'il était constitué d'un grand nombre d'images généralement achetées séparément puis reliées. Le sujet du livre concerne la folie des spéculations, et comprend de nombreux éléments satiriques en rapport avec les spéculations sur les épices des colonies hollandaises, les oignons de tulipes, les obligations, l'or et l'argent.
 La gravure elle-même présente un ensemble surprenant. On y voit de nombreux évènements curieux: des funérailles, vraies ou allégoriques, la destructions de livres et de documents, une procession, l'intérieur d'habitations, et deux chérubins au sommet de la porte: la Vanité et la Folie. Au milieu de tout çela, une boîte d'optique annonce une vue peu ordinaire. Sur la boîte elle-même on lit "Imaginez que vous possédez un terrain sur le Mississipi", et les mots au-dessus de la boîte signifient à peu près "Dis donc, regarde devant, voici le Mississipi, et les Etats-Unis". Au sommet de la porte se trouve une femme dénommée Madame Mississipi. Il est à parier que l'artiste se moque des terrains aux Etats-Unis en tant que nouvel exemple de mauvaise spéculation.

54. DETAIL. *Planche 53.*

55. LA FOIRE DE SOUTHWARK. *1733, William Hogarth (1697-1764), gravure au trait, 45.1 x 34.3 cm.*

Une foire très animée, avec une boîte d'optique. On notera que cette gravure montre des orifices de vision de part et d'autre de la boîte d'optique. D'autre part, le personnage sur la corde raide est un italien dénommé Violante, qui épousa une danseuse de corde dénommée Lupino. L'un de leurs descendants est l'actrice Ida Lupino.

56. DETAIL. *Planche 55.*

57. PORTIQUE DORIQUE SANS PIEDESTAL. *vers 1740*, Charpentier d'après *Charles Nicolas Cochin fils (1715-1790), gravure, 21.6 x 35.6 cm.*

   Cette illustration est dérivée d'un original (vers 1620) de Vignola, un artiste italien. Dans l'image montrée ici, la boîte d'optique de Cochin et les illustrations au bas de la page ont été ajoutées aux détails architecturaux d'origine.

58. SANS TITRE. *vers 1740, Cochin fils, tiré d'un ouvrage de gravures, eau-forte, 7.6 x 5.7 cm.*

59. SANS TITRE. *vers 1740, anon., crayon et lavis, 4.4 x 8.9 cm.*

   Certaines illustrations sont apparues plusieurs fois avec des modifications, en fonctions des graveurs. Voici un regroupement intéressant de trois illustrations. Il semblerait que le petit dessin de Cochin ait été ré-utilisé pour modifier les détails architecturaux de Vignola. Toutefois les rapports entre l'eau-forte de Cochin et le dessin non signé restent obscurs. Ce dernier fût-il le travail artistique original de Cochin ou bien fût-il utilisé avec de légères modifications par Cochin pour sa propre eau-forte? C'est une possibilité, mais le dessin peut aussi avoir été une adaptation de l'eau-forte. Quelle que soit l'explication, les images du dessin et de l'eau-forte sont symétriques. Afin d'obtenir une reproduction qui ne soit pas symétrique, le graveur devait tout d'abord effectuer une copie "en miroir" de l'image à éditer. Tout au long de ce livre on verra des images qui furent maintes fois copiées, avec ou sans modifications.

60. RARITETEN KASTEN. *vers 1750, Heinrich Rode (1727-1759) d'après Bernhardt Rode, eau forte, 21.6 x 27.9 cm.*

   Le montreur aux allures de Satyre annonce aux enfants que ce que Martial, le célèbre satiriste de l'antiquité, disait, voici bien longtemps, aux romains avec des mots, lui, un amuseur allemand, va maintenant l'illustrer avec des images, donnant ainsi dans le grandiose et participant par là à l'élévation du genre humain.

61. SANS TITRE. *vers 1750, Paul Sandby (1725/6-1809), eau forte, 7.6 x 7.6 cm.*

   Cette image faisait partie à l'origine d'une gravure plus grande comportant six vignettes dessinées par Sandby. De telles gravures étaient souvent recoupées, isolant les vignettes et rendant l'oeuvre plus difficile à situer. Cette représentation de la boîte d'optique par Sandby annonce son illustration d'une femme à la boîte d'optique exécutée dans le cadre des "Cris de Londres" en 1760.

62. FOIRE DE CAMPAGNE. *vers 1750, Cochin fils d'après François Boucher (1703-1770), gravure au trait et au point, 40.6 x 34.3 cm.*

   Ce travail, basé sur une peinture assez connue de Boucher, est une représentation imaginaire d'une foire de campagne opulente et animée. La boîte d'optique de grande taille (on notera la marionnette au sommet) pouvait accepter plus d'un spectateur à la fois. On lit sur le texte qui accompagne: "Puisse la gaieté fuser en ces lieux rustiques; les villageois gagner aux tables de jeu, et vous à la jeunesse fragile, qu'embellit l'innocence, puissiez-vous voir un tendre amour découler de vos danses."

63. PALAIS DE VERSAILLES. *18ème siècle, anon., gravure rehaussée à la main, 45.7 x 26.7 cm.*

64. DETAIL. *Planche 63.*

65. VUE DE LA PLACE DE L'HOTEL DE VILLE. *18ème siècle, Guiguet d'après Courvoisier, gravure rehaussée à la main, 45.7 x 30.5 cm.*

66. DETAIL. *Planche 65.*

67. VUE DU CHATEAU DE VINCENNES DU CÔTÉ DE L'ENTRÉE. *18ème siècle, anon., gravure rehaussée à la main, 45.7 x 30.5 cm.*

   Ces trois vues d'optique pouvaient être regardées dans un zograscope ou une boîte d'optique. Parmi elles, seule la première est percée de trous qui permettaient l'observation en éclairage direct ou par lumière arrière pour rehausser les endroits comportant des espaces découpés (et dont le dos était généralement recouvert d'un papier coloré), produisant une image à transformation. Il est actuellement difficile de trouver des gravures pour boîtes d'optiques. Il est encore plus difficile d'en trouver qui comportent la représentation d'une boîte d'optique. Les graveurs devaient avoir un certain sens de l'humour pour montrer une boîte d'optique sur une image destinée à cet appareil. On remarquera surtout que ces trois images utilisent des immeubles pour produire un effet de perspective, en créant un point de fuite au centre de l'image. Il ne faut pas oublier que ces boîtes furent utilisées par des artistes qui expérimentaient les théories de la perspective.

68. GROUPE EN PORCELAINE. *vers 1760, moule d'Etienne Falconet d'après F. Boucher, porcelaine, 15.9 x 15.2 x 16.5 cm.*

69. GROUPE EN PORCELAINE. *vers 1850, porte l'insigne "JP" du fabricant (Jacob Petit), Paris, porcelaine, 25.4 x 22.9 x 20.3 cm.*

70. GROUPE EN PORCELAINE. *vers 1850, porcelaine, 15.2 x 17.8 cm.*

   Au cours des 17ème, 18ème et 19ème siècles, des figurines, souvent en porcelaine, étaient accompagnées d'une lanterne magique ou d'une boîte d'optique. On a réuni ici trois groupes en porcelaine. Les trois sont dérivés d'un travail original de Boucher et représentent la même scène: un montreur de boîte d'optique flanqué d'une mère et son enfant attendant de voir une image. Le modèle le plus simple, non signé, est ouvert au sommet et a pû être utilisé pour ranger des allumettes ou d'autres petits objets. Il est possible qu'il ait comporté un couvercle amovible. Les deux autres sont quasi identiques. Le plus tardif, fabriqué près de cent ans après l'original, a été enjolivé de quelques détails et utilisé comme encrier.

71. LE RAREE-SHOW POLITIQUE: OU UNE IMAGE DES PARTIS ET DE LA POLITIQUE, PENDANT LA DERNIERE SESSION ET A SA CONCLUSION. *1779, anon., Westminster Magazine, Juin 1779, eau-forte, 34.3 x 21.6 cm.*

   Une caricature politique remplie d'humour mordant, dans laquelle un garçon examine une série de douze vues pendant que le montreur fait des remarques appuyées en ridiculisant les dirigeants du monde politique, des affaires, de l'armée et de l'église d'alors. L'humour des images n'est guère subtile, mais plutôt direct et acide. C'est ainsi que dans la seconde image, intitulée "Nos Généraux en Amérique, qui ne font rien ou encore pire", un homme au premier plan dort à côté de cartes à jouer sur une table et de bouteilles de vins sur le sol. Au fond, des soldats anglais, armes à terre, sont agenouillés devant des soldats américains. Le commandant américain lève un drapeau américain pendant que Burgoyne, le général anglais, s'agenouille en abaissant le drapeau anglais. Il en ressort que les responsables sont des incompétents préoccupés par les loisirs plus que par la guerre qui sera perdue par leur faute.

72. AMUSEMENT DE LA JEUNESSE. *vers 1780, Robert Dighton (vers 1752-1814), imprimé pour et vendu par Bowles and Carver, n° 69 de la série le Jardin de l'Eglise St Paul, Londres,*

gravure, 15.2 x 20.3 cm.

Fait partie d'une série d'images sous emboîtage, concernant des personnages du moment, dont l'éditeur suggère qu'elles "contrastent en une agréable variété de sujets sous oval". Dighton, un artiste qui travaillait alors sous le nom de Deighton, fut, comme l'indique son biographe, acteur, artiste et marchand de gravures. Il ne débordait pas de modestie et à l'occasion de l'une de ses premières séries d'aquarelles se désigna lui-même sous l'appellation "un peintre de portraits et un maître du dessin".

73. VOUS ALLEZ VOIR CE QUE VOUSE ALLEZ VOIR. *1760,* Simon Francis Ravenet (1706-1774), *d'après Louis-Philippe Boitard, n° 1, Les cris de Londres, publié par Robert Sayer, Fleet St., Londres, gravure rehaussée à la main, 15.9 x 21.6 cm.*

Texte de la vue n° 1: "Les cris de Londres en six parties. Constituant une collection de soixante douze gravures humoristiques prises sur le vif par le célèbre artiste Laroon, avec des additions et des embellissements par L.P. Boitard".

On notera la petite poupée au sommet de la boîte d'optique. Il s'agit probablement d'une représentation de Mademoiselle Catherine, un célèbre automate. S'il ne s'agit pas de Mademoiselle Catherine, il s'agit d'une oeuvre similaire. Ces extraordinaires automates à éléments corporels mobiles étaient animés, de façon apparemment inexplicable, par des mécanismes à horlogerie bien cachés. Ils enchantaient les spectateurs en raison de leur beauté et de leurs mouvements mystérieux, placés sous le contrôle du montreur, et il n'était pas rare qu'ils fassent partie du spectacle.

74. VUE DE PLYMOUTH. *1780, anon., publié par M. Darly (39), le 4 Mai 1780, gravure rehaussée à la main, 19 x 25.4 cm.*

Gravure satirique destinée à se moquer du mauvais contrôle de la guerre américaine. Le montreur déclare "Voici des canons sans affût et des affûts sans canon. Voici des généraux qui ne donnent pas d'ordres...".

75. SANS TITRE. *vers 1790, Shunzan Katsukawa, Yeijudo éditeur, gravure sur bois, 20.3 x 31.7 cm.*

La boîte d'optique était fort populaire au Japon au cours des dix-huitième et dix-neuvième siècles. Beaucoup d'entre elles ressemblaient aux boîtes européennes et provenaient d'Europe ou étaient copiées de modèles européens. Cependant, cette gravure japonaise et beaucoup d'autres présentant une boîte d'optique montrent fréquemment la boîte avec l'image au-dessus et à l'extérieur, d'une manière qui diffère de la vraie façon de les examiner. Il pourrait s'agir d'un style iconographique de ce temps, ou simplement d'un repère visuel.

76. OPTIQUE RENOMÉE. *vers 1770, H. Guttenberg d'après Johann Eleazan Schenau (1749-1818), à Paris chez Dennel Graveur, rue du Pt Bourbon attenant la foire St Germain, gravure, 14.6 x 19 cm.*

On remarque le classeur de vues reposant sur une chaise. Les nombreuses fautes d'orthographe visibles sur l'ensemble des textes de cette gravure pourraient bien être intentionnelles et viseraient à se moquer de la "culture" du montreur.

77. HET COMMITTE VAN BUITELANDSCHE ZAAKEN. *1796, David Hess (1770-1843), Hollandia Regenerata (1796), eau-forte à l'encre rouge, 27.9 x 36.8 cm.*

Satire politique montrant les affreuses conséquences des tentatives françaises de traiter la Hollande en état fantoche de la période révolutionnaire. La boîte d'optique porte l'inscription "L'armée du Prince Frédéric d'Orange".

78. LA BOÎTE D'OPTIQUE. *1789, Francesco Bartolozzi (1727-1815) d'après Francis Wheatley (1747-1801), publié par acte du Parlement du 25 novembre 1789, par Ann Bryer,* *105 Poland Street, Soho W, demi-teinte, 24.1 x 24.1 cm.*

79. LA BOÎTE D'OPTIQUE. *vers 1800, anon., France, gravure, 17.8 x 15.2 cm.*

On notera que cette illustration est identique à la précédente mais inversée. A moins que les graveurs n'utilisent un miroir lors de la reproduction d'une gravure plus ancienne, leur copie retournait l'image initiale.

80. THE SHOW MAN, LA PIÈCE CURIEUSE. *vers 1790,* Thomas Gaugain (1748-vers 1810) *d'après J. Barney, gravure au point, 50.8 x 68.6 cm.*

81. PERTEN EN GRAPPEN DER JONGHEID. *18ème s., anon., Hollande, n° 69 des Espiègleries de la Jeunesse, gravure sur bois rehaussée à la main, 29.2 x 35.6 cm.*

82. DETAIL. *Planche 81.*

83. BOÎTE D'OPTIQUE. *vers 1830, anon., Hollande, H. Nuema, Rohyn et J.O. (Jan Oortman), détail (2.4 x 5.1 cm) d'une gravure intitulée "Sujets divers", gravure sur bois rehaussée au pochoir (33 x 45.7 cm).*

84. NÜRNBERG BEI FR. CAMPE. *vers 1830, anon., eau-forte rehaussée à la main, 29.2 x 20.9 cm.*

Cet ensemble de gravures s'inscrit dans le style des images de pacotille ou de l'imagerie d'Epinal. Il s'agissait d'images bon marché largement distribuées, faites d'un grand nombre de vignettes que les enfants découpaient le plus souvent, et collaient dans un album.

85. LE RAREE SHOW DE BILLY – OU JOHN BULL ECLAIRE. *1797,* Charles Williams, *publié le 15 août 1797 par S.W. Fores, 50 Piccadilly, eau-forte rehaussée à la main, 20.3 x 30.5 cm.*

Satire politique. Comme l'indique le drapeau au sommet de la boîte d'optique, il s'agit d'une "Illusion des sens". Le montreur commence "Veuillez maintenant prêter attention à la vision enchanteresse qui vous est présentée. C'est la vision de la Paix". La suite du texte suggère que les auditeurs sont bien naïfs s'ils croient qu'un gouvernement qui paie pour la guerre est intéressé par la paix. Le montreur a les traits de William Pitt, Premier Lord du Trésor. Pendant que John Bull (c'est-à-dire le peuple) jette un coup d'oeil, Pitt lui vole un sac marqué "économies", ceci indiquant que les économies du peuple sont détournées en faveur de la guerre.

86. A SHOW UP. *1832, John Doyle (1797-1868), HB n° 216, lithographie de A. Ducoté, publié le 1er août 1832 par Thos. Mc Lean, 26 Haymarket, lithographie, 36.8 x 29.2 cm.*

Ce titre est sans doute un jeu de mots qui peut être traduit très librement en "L'arme à l'oeil". Cette satire politique se moque du peuple dont on vole l'argent pour l'effort de guerre, quel que soit le parti au pouvoir. La boîte sur la gravure est intitulée "Nouvelle vue d'optique du glorieux triomphe de la Réforme". Au vu de ces mots on se demande quelle réforme, hormis un changement de parti, a été accompli. Doyle était le père de Richard Doyle, l'auteur de Punch et Judy, et le grand-père de Conan Doyle.

87. LA BOÎTE D'OPTIQUE POLITIQUE. *1840, John Doyle, HB n° 662, lithographie de A. Ducoté, publié le 1er décembre 1840 par Thos. Mc Lean, 26 Haymarket, lithographie, 36.8 x 29.2 cm.*

Encore une satire politique. Cette fois-ci, John Bull célèbre les victoires militaires passées de l'Angleterre et de la Flotte de Sa Majesté pendant qu'on le dépouille pour un effort de guerre nettement moins glorieux, dirigé contre l'Irelande.

88. PAYER POUR VOIR. *1835, C.J. Grant, Everybody's Album and Caricature Magazine, publié par C.J. Grant, lithographie, 8.9 x 8.9 cm.*

Grant inaugura ce journal et se présentait lui-même comme auteur, artiste et éditeur. Le journal est satirique à l'extrême. Le montreur présente les discordes souvent futiles qui séparaient Tories et Whigs, les deux partis dominants de l'Angleterre d'alors.

89. UNE CARTE D'OMRES CHINOISES. *vers 1870, anon., 14.6 x 5.1 cm.*

  Parmi les personnages d'une foire, un homme regardant dans une boîte d'optique perd son argent selon la technique des "coupeurs de bourse" qui, avec une agilité diabolique, faisaient sortir la bourse de la poche et sectionnaient la chaîne ou la cordelette la rattachant "en toute sécurité" à son propriétaire.

90. LA BOÎTE D'OPTIQUE. *vers 1920, Maggie Salcedo, lithographie rehaussée, 12.1 x 11.4 cm.*

  Salcedo est une dessinatrice française bien connue, qui a oeuvré pendant le premier quart du 20ème siècle. Elle a illustré de nombreux livres pour enfants.

  Ces gravures illustrent l'idée alors généralement admise que les foires étaient dangereuses et que les boîtes d'optique étaient l'occasion pour les arnaqueurs de faire les poches. Dans Memoirs of Bartholomew Fair de Morley, il est dit "Tout comme Lent est faite pour les poissonniers, la foire de Bartholomew est faite pour les voleurs" (p. 146). Il est clair qu'une personne courbée et concentrée sur une vue d'optique n'était pas sans intérêt pour un pick-pocket. Deux des gravures semblent simplement montrer la disparition d'une bourse. Toutefois, dans les autres dessins, c'est quelque chose de plus important qui disparaît, à savoir les économies d'un peuple ou sa confiance. Ces caricatures nous mettent en garde contre les politiciens du moment.

91. L'HOMME A LA BOÎTE D'OPTIQUE. *1799, Dadley d'après Pu-Quà, publié le 4 mai 1799 par W. Miller, Old Bond st., Londres, gravure au point rehaussée, 24.1 x 26.7 cm.*

  Cette planche fut rééditée en 1804 comme un des éléments d'une série de soixante gravures dans le livre réputé The Costumes of China, par le Major George Henry Mason. Certains "costumes" du livre représentaient: le distingué Mandarin, le changeur, l'attrapeur de grenouilles, le porteur d'arbres fruitiers et de fleurs, le marchand d'oreillers, le marchand de flûtes, l'équilibriste, le marionnettiste, le marchand de vipères, le mendiant estropié et la Dame distinguée.

92. LA BOÎTE D'OPTIQUE. *vers 1850, anon., Boys Own Magazine, gravure sur bois, 12.1 x 11.5 cm.*

93. LES GENS DE CHINE – L'HOMME A LA BOÎTE D'OPTIQUE. *vers 1820, anon., gravure rehaussée, 19.7 x 20.3 cm.*

  Texte d'accompagnement: "Que les européens aient emprunté l'idée aux chinois ou qu'ils aient été les inventeurs de cet objet de curiosité assez puéril, est difficile à dire; chacun peut voir les similarités de cet amusement sans danger. Le montreur chinois fait défiler une succession de vues devant le miroir à perspective, à l'aide de cordelettes, tandis qu'il conte une histoire et décrit chaque sujet avec un humour remarquable qui ravit et étonne l'assistance".

  Ces trois images, ainsi qu'une quatrième présentée dans l'introduction (16A), sont quasi identiques. C'est un nouvel exemple du fait qu'une gravure, une fois devenue populaire, était reproduite par divers dessinateurs avec de légères modifications, ou était tout simplement ré-éditée, pendant de nombreuses décennies.

94. LE MONTREUR A DIX SOUS. *1805, William Henry Payne, Payne's Costumes of Great Britain, publié par William Miller, Albermarle st., 1er janvier 1805, aquatinte rehaussée, 24.1 x 33 cm.*

  Texte d'accompagnement: "Voici un montreur à dix sous itinérant, comme on peut en voir de nombreux dans les foires. Ils traversent toute l'Angleterre avec leur spectacle sur le dos".

95. AU COIN DE HYDE PARK: LE MONTREUR. *1805, anon., publié le 7 juillet 1804 par Richard Phillips, 72 St Paul's Church Yard, gravure rehaussée, 12.1 x 15.2 cm.*

  La description indique: "Un montreur. Ce personnage amusant attire généralement la foule autour de lui quelle que soit la rue où il installe sa pantomime mobile, car les chômeurs ou les enfants qui ne peuvent payer le penny ou demi-penny pour jeter un coup d'oeil dans la boîte s'amusent quand même devant ses harangues colorées, et les mouvements perpétuels des écureuils dans la cage ronde placée au-dessus de la boîte, qui agite sans fin la rangée de clochettes au sommet. Le spectacle consiste en une série de vues coloriées que le spectateur examine au travers d'une lentille grossissante, tandis que le montreur récite ses histoires et change les scènes à l'aide de ficelles. Ces montreurs portent leur boîte sur le dos et voyagent fréquemment dans le pays".

  Cette image était vendue seule mais fut également incluse dans une des séries des Cris de Londres ainsi que par Phillips dans son livre Modern London, Being The History and Present State of The Brisitsh Metropolis.

96. LE MONTREUR. *1806, anon., d'après une maquette par Thomas Rowlandson (1756-1827), 73 Wardour st., Soho, eau-forte rehaussée, 18.4 x 25.4 cm.*

97. SANS TITRE. *vers 1800, eau-forte et maquette par Thomas Rowlandson, gravure rehaussée, 3.8 x 30.5 cm.*

  Cette frise fait visiblement partie d'un travail plus important. Elle est collée sur un morceau de papier bleu, tout-à-fait dans l'esprit des collages d'albums de la première moitié du 19ème siècle.

98. SANS TITRE. *vers 1800, eau-forte et maquette par Thomas Rowlandson, gravure rehaussée, 7 x 5.7 cm.*

99. SPECTACLE RARE. *vers 1820, Thomas Rowlandson, tiré de Characteristic Sketches of the Lower Orders, eau-forte rehaussée, 7 x 11.4 cm.*

  Ce travail, encore un des "Cris de Londres", comporte 54 planches sur des professions diverses. Il était destiné à accompagner les New Pictures of London par Samuel Leigh.

  Rowlandson, avec Cruikshank et Gillray, appartenait à un groupe de caricaturistes de la fin du 18ème siècle et du début du 19ème siècle qui produisirent de nombreux dessins politiques et utilisèrent la boîte d'optique ainsi que la lanterne magique pour nous "éclairer".

100. LA LANTERNA MAGICA. *1809, Bartolommeo Pinnelli (1781-1835), Rome, gravure rehaussée, 29.2 x 20.9 cm.*

101. SANS TITRE. *vers 1820, anon., crayon et encre, 25.4 x 16.5 cm.*

  On notera à quel point ce charmant travail au crayon et à l'encre est une réplique presque totale du second travail de Pinelli.

102. LA LANTERNA MAGICA. — *1815, Bartolommeo Pinnelli, Rome, gravure rehaussée, 27.9 x 21.6 cm.*

103. DES VERITES A LA PELLE. *1811, anon., publié le 2 septembre 1811 par Laurie et Whittle, 53 Fleet st., Londres, eau-forte, 21.6 x 16.5 cm.*

  Des Vérités à la Pelle fut, ainsi que l'indique le texte ci-joint, chanté par Mr Henry Johnson, à Dublin, à Cork, etc.., etc... sous les applaudissements. Avant le texte nous sommes prévenus que "Belle est la Vérité, et elle va dominer". Un échantillon des vérités de Mr Johnson s'ensuit:

  > *Les temps qui viennent seront meilleurs, n'ayez crainte*
  > *Les vieilles femmes se complaisent dans le scandale*
  > *Les bougies sont désormais très chères*
  > *La vilénie sera révélée*

La confiture n'est pas pour les cochons
Les ânes meurent trop rarement
Le pudding devrait être farçi de figues
Le Monument est très haut

On peut voir une boîte d'optique dans le coin gauche de cette gravure. Laurie et Whittle était l'un des grands éditeurs de vues utilisées pour les boîtes d'optiques.

104. SANS TITRE. *vers 1840, anon., gravure sur bois, 5.7 x 5.1 cm.*

105. JAMIE LE MONTREUR. *1823, Thomas Hodgetts d'après Robert Edmonstone (1794-1834), publié par James Edmonstone et Cie, 49 Prince st., Edinburgh, demi-teinte rehaussée, 36.8 x 45.7 cm.*
On lit au-dessus de la boîte d'optique "Bataille de Waterloo". Les combats étaient un sujet de boîte d'optique particulièrement apprécié. Cette boîte d'optique pouvait, semble-t-il, accepter des spectateurs de toutes tailles. Pendant que le montreur s'occupe d'une famille en train de regarder, certains des garçons ont l'air, comme on le voit, de vouloir plutôt faire des bêtises que de profiter du spectacle. L'un des gamins essaie de mettre le feu à la poche du montreur pendant qu'un autre tente de lui donner un coup de pied.

106. LA LANTERNE MAGIQUE. *vers 1820, anon., eau-forte rehaussée, collée dans un cahier, sur une page de 12.7 x 19 cm.*
La boîte que porte le colporteur, marquée "lanterne magique", est tout autre chose; c'est en fait une boîte d'optique. Bien que ce qui ressemble à un objectif ait pû servir pour une lanterne magique, l'absence de cheminée et la présence de ficelles sur un côté suggèrent qu'il s'agit d'une visionneuse et non d'un projecteur.

107. DETAIL. *Planche 106.*

108. UN SPECTACLE RARE. *vers 1800, Thomas L. Busby, Costumes of the Lower Orders of the Metropolis, n° 6, eau-forte rehaussée, 8.9 x 12.7 cm.*
Le dessin de Busby, d'après un travail précédent de Laroon, fût tout d'abord publié dans cet ensemble de vingt et une gravures en couleur sur les colporteurs et les camelots, puis ré-édité dans les années 1820 dans les New Pictures of London de Leigh.

109. LES RUINES DU CHENE DE FAIRLOP. *vers 1805, John Peltro d'après Humphrey Repton (1752-1818), eau-forte, 7 x 6.3 cm.*
Cette petite gravure montre un chêne, autrefois imposant, qui domine le dessin. De tels chênes étaient souvent le coeur même des villages. Celui-ci, très célèbre, eût sa propre histoire, et servit de prétexte à une foire dénommée le Festival du Chêne Fairlop qui se tenait annuellement, le 1er juillet. Ce chêne, dont on dit qu'il avait une circonférence de onze mètres, se trouvait dans la Forêt Hainault, en Essex. Il était sur les terres d'un dénommé Daniel Day, encore appelé Day le Bon par les gens du coin, qui s'en servit tout d'abord annuellement comme lieu d'un dîner fin fait de cuisine anglaise, haricots et bacon. Cet endroit devint vite un lieu de réunion pour un festival annuel. Day mourût en 1767 mais le festival des haricots et du bacon était déjà devenu une tradition et dura encore longtemps. En 1805, un incendie toucha sérieusement le chêne, mais la foire continua, ainsi que l'on peut voir. On remarquera la baraque sur la droite, où l'on vend des reliques du chêne.

110. SANS TITRE. *vers 1830, anon., eau-forte rehaussée, 16.5 x 11.4 cm.*

111. SANS TITRE. *vers 1820, J. Baptiste, lithographie, 17.8 x 14 cm.*
Un exemple de deux gravures similaires, françaises toutes les deux, mais d'une qualité artistique inégale.

112. CECI VOUS REPRESENTE. *vers 1820, François Grenier (1793-1867), lithographie, 15.2 x 20.3 cm.*
Le titre suggère que ce que l'on voit est un reflet de la personnalité.

113. LA LANTERNE MAGIQUE. *vers 1820, anon., eau-forte rehaussée, 10.6 x 12.7 cm.*
Les gravures montrant des spectacles de boîte d'optique étaient souvent marquées "la lanterne magique" bien qu'il ne s'agisse évidemment pas de spectacle de lanterne magique. Certains montreurs transportaient à la fois une lanterne et une boîte d'optique afin de diversifier ce qu'ils offraient.

114. DETAIL. *Planche 113.*

115. LES CRIS DE LONDRES. *vers 1820, anon., publié par William Darton, 58 Holborn Hill, Londres, eau-forte rehaussée, 38.1 x 5.1 cm.*
Ce livret plié en accordéon contient des images de la série des Cris de Londres faite de 48 gravures publiées par Darton en 1820. Les images de la gravure furent produites cinq ans plus tard sous forme d'un puzzle.

116. LES CRIS DE LONDRES. *vers 1825, anon., puzzle en bois publié par William Darton, 58 Holborn Hill, Londres, eau-forte rehaussée et montée sur carton, 38.1 x 30.5 cm.*
Le texte sur l'intérieur du couvercle de la boîte abritant le puzzle indique: "Couteaux à aiguiser, Beignets chauds, Spectacle Rare, etc...".

117. DIABLERIES. *vers 1832, Eugène Le Poittevin (1806-1870), n° 3, publié chez Aumoît, au 10 rue J.J. Rousseau, lithographie, 39.4 x 30.5 cm.*
Cette gravure était souvent vendue seule mais faisait aussi partie d'un ensemble de douze reliées en un livre sous le titre Les Diableries de la Lithographie. Les Diableries étaient très populaires en France.

118. DETAIL. *Planche 117.*

119. SANS TITRE. *vers 1830, Eugène Hippolyte Forest (1808-1870), lithographie, 20.9 x 22.9 cm.*
On notera à quel point le montreur semble crier contre sa femme, plus préoccupée par le repas que par les changements de vues.

120. LE SERGENT BELL ET SON RAREE-SHOW. *1848, anon., Sergeant Bell And His Raree-Show (frontispice), publié par Joseph A. Speel, 96 Cherry st., Philadelphie, gravure sur bois, 5.1 x 6.3 cm.*
Liste partielle des scènes et histoires contenues dans les vues du Sergent Bell:
Caravane dans le désert
La bataille des Pyramides de Bonaparte
La bataille du Nil
La bataille de Trafalgar
La bataille de Waterloo
La capture d'une baleine
Le grand incendie de Londres en 1666.

121. LE SERGENT BELL ET SON RAREE-SHOW. *1854, anon., Sergeant Bell And His Raree-Show (frontispice), publié par Crissy and Marklen, Goldsmiths Hall, Library st., Philadelphie, gravure sur bois, 5.1 x 6.3 cm.*
Encore d'autres histoires du Sergent Bell. Cette édition contient les nouvelles histoires suivantes:
Le cratère du Vésuve
La tempête en mer
Les chûtes du Niagara
La chasse à l'éléphant
Le Mont Blanc
Le siège d'Anvers
Le Palais des Lords

122. SANS TITRE. *1851, F.F., mine de plomb sur papier, 9.5 x 14 cm.*
On remarquera comment le montreur laisse passer la lumière en haut de la boîte.

123. PIÈCES CURIEUSES. *1839*, Paul Gavarni *(1804-1866)*,
Le Charivari, *Paris, lithographie, 19 x 15.2 cm.*
*Texte: "Faut bien montrer des images à l'homme; la réalité
l'embête". L'un des éléments surprenants dans ce travail est le fait
que la signature de Gavarni, dans le coin inférieur gauche, est
retournée, suggérant que le dessin original a été inversé. Pourtant
le texte au sommet de la boîte d'optique n'est pas inversé, ce qui
suggère finalement qu'il était plus facile de retourner le texte que
de reproduire correctement le dessin original.*

124. LANTERNE MAGIQUE. *vers 1840*, anon., Le Charivari,
lithographie, 30.5 x 24.1 cm.
*Une caricature politique se moquant de Louis-Philippe, dans
le coin gauche, ainsi que du Général Dumouriez et d'autres
généraux. Louis-Philippe n'était guère populaire et devait
s'accomoder des humoristes. Son portrait en forme de poire est
resté célèbre.*

125. CRISE MINISTERIELLE. *1846*, anon., Punch, *Juin 1846,
gravure sur bois, 18.4 x 24.8 cm.*
*Une caricature où le célèbre Punch montre à un citoyen le
portrait de divers premiers ministres et se moque d'eux tandis
qu'il change les vues.*

126. OPTIQUE A L'USAGE EN L'INSTRUCTION DE LA JEUNESSE.
vers 1840, anon., France, gravure rehaussée, 19 x 25.4 cm.
*Il s'agit d'une des premières et rares images de boîte d'optique
à caractère érotique. Parce que désapprouvées, de telles images
étaient rarement signées. Au haut de la vue il est dit que
l'optique est faite pour l'instruction des jeunes. Au bas, on
annonce que le carnaval de Venise va être montré aux dames et
aux messieurs. Deux hommes et une femme regardent des vues.
Lorsqu'un volet est déplacé, on découvre une image érotique.*

127. BOÎTE A CIGARES. *vers 1860*, anon.,
papier mâché peint à la main, 8.9 x 6.3 cm.
*L'image de cette boîte est similaire à une gravure allemande
de 1850. Les messieurs transportaient de telles boîtes pour
stocker leurs cigarillos. Ces boîtes comportaient souvent des
peintures sur un ou plusieurs côtés. Des portraits féminins
étaient le thème le plus fréquent. Cette scène-ci est inhabituelle.
En des occasions encore plus rares, la boîte avait un dos à
système, permettant au propriétaire d'observer discrètement une
image pornographique.*

128. CARREAU DE DELFT. *vers 1840*, anon., Amsterdam,
céramique, 13.3 x 13.3 cm.

129. CARREAU DE DELFT. *vers 1840*, anon., Utrecht,
céramique, 13.3 x 13.3 cm.
*Bien qu'aucun de ces deux carreaux n'ait été fabriqué à
Delft, ils ont un style dit de Delft, c'est-à-dire un sujet bleu sur
un fond blanc. Les deux carreaux ont emprunté leur thème à des
gravures hollandaises de la même époque.*

130. ASSIETTE EN PORCELAINE. *vers 1880*, anon., d'après Madou,
manufacture H et B de Choisy, Paris, diamètre 20.3 cm.
*Cette petite assiette contient un rébus où l'on peut lire
"Quand on veut commander on doit savoir obéir". La gravure
fut réalisée beaucoup plus tôt par Madou et publiée en 1837
parmi une série de quarante réunies sous le titre Etrennes
Pittoresques; 40 Lithographies d'après Dessins de Madou.*

131. MUSEE OMNIBUS. *vers 1840*, Duriez d'après Ferdinand Marohn,
lith. par Jacomme et Cie de Lancry, lithographie, 24.8 x 20.3 cm.
Texte: "Ce qu'on voit et ce qu'on ne voit pas".

132. LE MILITORAMA. *vers 1840*, Hippolyte Bellangé *(1800-1866)*,
lithographie, 20.3 x 20.9 cm.
*Il semblerait que le montreur, un soldat blessé et à la retraite,
présente des vues d'exploits militaires. Plusieurs gravures*

représentent des soldats à la retraite, et parfois amputés. On doit
se demander si de telles images d'uniformes militaires élégants
symbolisent l'attachement aux biens de ce monde, ou bien si des
vétérans blessés incapables de pratiquer certaines professions
prirent la boîte d'optique comme nouveau métier. Effectivement,
les soldats blessés étaient fort nombreux et un travail de camelot
des rues était, certes, une possibilité qui leur restait. Il se peut
également qu'en raison des nombreux accidents dans les usines,
d'autres estropiés aient marché sur les traces de ces soldats,
essayant tout comme eux d'attirer l'attention du public.*

133. AYR: THE TWA BRIGS. *vers 1840*, Thomas Hingham *(1796-1844)*
d'après David Octavis Hill *(1802-1870)*, publié par Blackie and
Son, Glasgow, *imprimé par W. et D. Duncan, Glasgow,
gravure sur acier rehaussée, 13.3 x 8.9 cm.*
*Cette image fait partie d'un ensemble de 81 gravures sur acier
utilisées dans le livre en deux volumes Land of Burns. D.O.
Hill, déjà cité plus haut, est David Octavio Hill, un célèbre
photographe d'autrefois.*

134. LE MONTREUR. *vers 1850*, anon., publié par Leblond et Co,
Londres, L.A. Eliot et Co, Boston,
eau-forte rehaussée à l'aquatinte, 22.9 x 17.8 cm.
*La forme de l'image était suffisamment caractéristique pour
que de telles gravures aient emprunté le nom de leur éditeur.
Elles étaient souvent dénommées "ovals à la Leblond". La
quiétude d'un village est représentée ici de manière romantique.
On remarquera le grand tambour utilisé par le montreur pour
attirer l'attention des enfants. On peut penser que l'un des
enfants à l'arrière demande à sa mère de l'argent pour
examiner une vue.*

135. LA BOÎTE D'OPTIQUE. *vers 1840*, anon.,
peinture à l'huile sur toile, 50.8 x 33 cm.
*Les détails de cette peinture méritent attention, y compris
l'enfant sur la droite qui conserve une pièce de monnaie dans la
bouche, en attendant son tour.*

136. LA BOÎTE D'OPTIQUE DE LA POSTE. *1843*, anon., Punch,
gravure sur bois, 17.8 x 11.4 cm.
*Le montreur, tenant une lettre, déclare: "Un sou pour un
coup d'oeil... un sou seulement".*

137. JEFF ET LE MONTREUR. *vers 1830*, anon.,
gravure sur bois, 14 x 7.6 cm.
*Texte du montreur: "Au bout de l'avenue vous distinguez la
Maison Blanche, gardez l'oeil fixé sur elle et elle disparaîtra sous
vos yeux". Bien que la boîte soit marquée "vues fondantes", comme
pour une lanterne magique, cette enveloppe présente une boîte
d'optique munie de nombreuses cordelettes que tire le montreur.*

138. DER GUCKKASTENMANN. *1847*, G. Klaus d'après Georg Ferdinand
Waldmuller *(1793-1865)*, eau-forte, 25.4 x 20.3 cm.
*Une image plutôt curieuse. Bien qu'elle soit intitulée "Le
Montreur de boîte d'optique", et en dépit du fait que la boîte est
placée sur un chevalet et ressemble à une boîte d'optique, on se
demande ce qui est en fait présenté. On a tout-à-fait l'impression
que l'homme amuse la foule avec quelque chose visible de tous et
placé à l'extérieur de la boîte. Il pourrait s'agir d'une première
partie de spectacle, avant les vues proprement dites, ou bien d'un
autre spectacle qui allait avec les vues, ou enfin d'une appellation
appliquée par erreur à un autre spectacle de rue.*

139. LA BOÎTE D'OPTIQUE. *1842*, George Cruikshank *(1792-1878)*,
[Laman Blanchard éditeur], George Cruikshank's Omnibus,
(preface), publié par Tilt et Bouge, Fleet st., Londres, gravure
sur bois, 6.3 x 6.3 cm.
*Ce livre, rempli des dessins de Cruikshanks et de notes
spirituelles, satiriques et vives, commence par se moquer du
montreur de boîte d'optique qui va nous raconter*

l'Histoire du Monde en moins de deux pages. Cela débute par: "Tous les enfants déjà grands sont autorisés à sauter cette page s'ils le souhaitent; elle n'est pas pour eux qui sont déjà, bien sûr, familiarisés avec les usages du monde, mais pour les tout-petits qui ont besoin d'un Guide à l'usage de notre Terre où ils commencent tout juste à habiter". Le montreur continue, "Et c'est maintenant, jeunes messieurs et jeunes demoiselles, qu'il convient de vous ruer sur vos mères, de pleurer jusqu'à ce qu'elles vous donnent une piécette, et de me l'apporter, moyennant quoi je vous montrerai les belles images".

140. LES VUES D'UNE BOÎTE D'OPTIQUE. 1874, anon., *[Mrs George Cupples]*, Sights At A Peep-Show, *(frontispice)*, publié par *T. Nelson and Sons, 1874, gravure sur bois, 5.1 x 7.6 cm.*

L'introduction commence par: "Je m'appelle Tom West, le montreur de boîte d'optique et j'ai bien des choses belles et curieuses à vous montrer, mes chers petits. Le tarif n'est que de un demi-penny; et pour ce prix vous êtes autorisés à voir le Grand Ours polaire de l'Arctique, et aussi une chasse au tigre, ainsi que bien d'autres vues merveilleuses de ma boîte d'optique, qui prendraient des heures à raconter. Mais avancez, avancez et vous allez voir ce que vous allez voir! Oui, comme cela, mon petit jeune homme, mettez vos yeux très près de la fenêtre ronde et tenez-les bien ouverts. Nous allons commencer tout de suite; alors faites bien attention et ouvrez bien grandes vos oreilles". Suivent plus de cent pages d'images et d'historiettes.

141. AMUSEMENTS D'OPTIQUE. 1845, anon., The Boys Own Book, *(p. 109), publié par Munroe et Francis, New-York, 1845, gravure sur bois, 5.7 x 4.4 cm.*

L'esprit de ce livre est rendu dans la page de titre qui annonce: "Une encyclopédie complète de tous les jeux athlétiques, scientifiques et créatifs pour les garçons et la jeunesse".

142. LA LANTERNE CHINOISE. *vers 1850, L. Lassalle d'après F. Boucher, Paris, lithographie, 17.8 x 22.9 cm.*

Une image intéressante car elle contient l'une des rares représentations d'une montreuse de boîte d'optique. On notera aussi les traits occidentaux des trois personnages.

143. SANS TITRE. *vers 1850, Chine, aquarelle sur papier de riz, fait partie d'un ensemble de douze aquarelles sur des scènes de rue pendant les Fêtes du Nouvel An à Pékin, 34.3 x 21.6 cm.*

D'après la calligraphie d'accompagnement, la vue présente les beautés du Lac Oriental, célèbre point de vue situé à Hangzhou. Pour un prix modique, on pouvait admirer d'autres vues de la Chine ou de l'Occident.

144. PENDULE DE CHEMINÉE FRANÇAISE. *vers 1860, anon., métal, 36.8 x 40.6 x 14 cm.*

145. SUJET EN METAL. *vers 1870, anon., marqué LSF par le fabricant, base en métal, 6.3 x 19 x 10.1 cm.*

Cette figurine moulée a saisi un montreur pendant son discours. Il n'est pas tout-de-suite évident qu'il porte une boîte d'optique. Au premier abord on pourrait penser à un piano mécanique. Cependant, on voit des représentations métalliques de cordelettes sur chaque côté de la boîte ainsi qu'un orifice d'observation à l'avant.

146. PENDULE DE CHEMINEE FRANÇAISE. *vers 1860, anon., métal, 38.1 x 34.3 x 15.2 cm.*

Les deux horloges font partie de celles fabriquées durant la période Napoléon III (1842-1870). Les modèles les plus chers étaient en bronze. Le marché s'est ouvert lorsque des métaux moins précieux furent utilisés, comme c'est le cas pour les deux pendules présentées ici.

147. SCENE DE RUE A PEKIN. *vers 1880, A. Marie d'après une photographie par M. Thompson, Le Tour du Monde, gravure rehaussée, 21.6 x 15.2 cm.*

A la différence des nombreuses représentations élégantes de la boîte d'optique vue par les occidentaux, voici l'aspect d'une authentique boîte d'optique, banale dans les villes et villages de Chine. Thompson fût un photographe estimé vers la fin du siècle dernier, qui passa un temps notable à photographier l'Orient.

148. LE VERRE. *1862, M. Bioto d'après Ed Renard, [Jules Deklbrueck],* Les Récréations Instructives, *Paris, gravure rehaussée, 11.4 x 6.3 cm.*

La vue de détail montre une boîte d'optique qui annonce "Les merveilles du jardin public" et fait partie d'une gravure de plus grandes dimensions (38.7 x 27.3 cm) où sont visibles de nombreux instruments parmi lesquels une lanterne magique.

149. BOÎTE D'OPTIQUE A LIN-SIN-CHOO. *vers 1880, G. Pater d'après T. Allom (1804-1872), gravure, 19 x 13.3 cm.*

Cette gravure fut ultérieurement utilisée sur une plaque de lanterne magique et incluse dans un ensemble de vues utilisées par le Révérend Dr Chalmers pour ses conférences sur la Chine et les chinois. Le texte qui accompagne la plaque de lanterne indique: "Boîte d'optique. Voici une autre de leurs distractions populaires, la boîte d'optique. Parmi les automates placés en haut de la boîte d'optique chinoise on reconnaît ce qui fut à l'origine le Fantoche italien et les Punch et Judy de nos pays occidentaux. En Chine tout comme en Angleterre, la musique fait partie intégrante du spectacle. Le personnage sur la droite est un orchestre à lui seul. A son pied gauche, est attachée une cymbale qu'il heurte sur une autre fixée au sol tandis qu'avec son pied droit il frappe un tambour, et que ses mains manipulent une flûte, échangée de temps à autres pour une clarinette qui pend à son côté".

150. LANTERNE MAGIQUE. *vers 1825, Boilly, [Didot (ed)],* La Chine: Moeurs, Usages, Costumes, Arts et Métiers, etc., *2 vol. (page 181) imprimé par Delamain et Sairazin, 8 rue Gît-le-Court, Paris, lithographie, 15.2 x 10.2 cm.*

On remarque l'extraordinaire boîte d'optique en forme de pagode.

151. PORTE-OBJETS A SUSPENDRE. *vers 1870, peint à la main, papier mâché et laque, 17.8 x 47 cm.*

152. PORTE-PAPIERS A SUSPENDRE. *vers 1860, peint à la main, papier mâché et laque, 23.5 x 22.9 cm.*

153. PLATEAU. *vers 1870, peint à la main, papier mâché et laque, 24.7 x 17.8 cm.*

154. PORTE-JOURNAUX A SUSPENDRE. *vers 1860, peint à la main, papier mâché et laque, 29.8 x 36.8 cm.*

De nombreuses boîtes en papier-mâché à motifs japonisants furent produites en France, de la période Napoléon III jusqu'à la période victorienne, à un moment où l'Ouest montrait un grand intétêt pour les styles japonais. Les exemples ci-joints montrent quelques échantillons de tailles variées produits durant cette période.

155. DIORAMA DE L'AMOUR. *vers 1870, Jean-Ernest Aubert (1824-1906), huile sur toile, 69.8 x 94 cm.*

Jean-Ernest Aubert reçut le Grand Prix de Rome en 1844 ainsi que d'autres récompenses mineures tout au long de sa carrière. Cette remarquable peinture utilise des techniques variées pour reconstituer une ambiance. Seules des femmes sont représentées et des anges les aident à goûter les friandises offertes par un chérubin ou à regarder le diorama de l'Amour. On remarquera comment Cupidon se tient en équilibre pour manoeuvrer les ficelles de changement des vues et comment il est possible à la lumière de pénétrer par une lucarne dans cette boîte de très grande taille.

156. SANS TITRE. *vers 1890, J. Robie, huile sur toile, 45.7 x 30.5 cm.*

157. SANS TITRE. *vers 1890, anon.,*
photolithographie rehaussée, 35.6 x 24.1 cm.
     Ces deux images, probablement réalisées vers la même époque, démontrent que l'art peut se répéter, même lorsqu'il est de médiocre qualité. La lithographie est probablement copiée d'une peinture antérieure, datant de la fin du dix-neuvième siècle mais avec un style datant de cent ans auparavant. Les costumes, eux aussi, suggèrent le milieu du dix-huitième siècle. La peinture, d'une facture assez pauvre, est sans doute une copie de la lithographie.

158. EFFETS SURPRENANTS. *1879, anon., Punch, 19 juillet 1879, gravure sur bois, 14.6 x 21.6 cm.*
     Cette image raconte une histoire dans laquelle le montreur de boîte d'optique tente de convaincre l'auditoire qu'il existe dans son spectacle un éclairage spécial destiné à un chemin de fer. Un jeune spectateur lui demande à quoi correspond la lumière jaune dans la boîte, ce qu'il est incapable d'expliquer jusqu'à ce qu'il réalise que sa boîte a pris feu.

159. SOLDATS AU SPECTACLE, PRES DE CULPEPPER EN VIRGINIE. *vers 1868, d'après un croquis d'Edwin Forbes (1849-1990), gravure sur bois, 23.5 x 19 cm.*
     Fait partie d'une série intitulée "Nos soldats pendant la guerre civile". Une boîte d'optique surprenante. Il pourrait bien s'agir d'un appareil pour vues stéréo en verre, déjà populaire à cette époque.

160. MATIN A LONDRES: LA BOÎTE D'OPTIQUE. *vers 1880, anon., gravure sur bois, 10.2 x 12.7 cm.*

161. BOÎTE D'OPTIQUE (NAPOLEON TRAVERSANT LES ALPES). *1884, anon., [F. Opper], A Museum of Wonders: What The Young Folks Saw There, publié par George Routledge and Sons, Londres et New-York, lithographie coloriée, 26.7 x 20.3 cm.*
     Voici une partie du texte d'accompagnement:
"Les images de l'Histoire sont chargées de sa renommée! Emerveillons-nous devant celle-ci - en regardant ce spectacle étonnant -
Voyons le coursier caracolant qui grimpe vers le sommet fuyant! Raide, et lisse, et pointu, tel un pain de sucre.
Napoléon conduit sa fougueuse monture tandis que son glaive reluit;
Et toutes ses superbes légions, fières de l'accompagner, Marchent courageusement à sa suite dans les étendues alpines enneigées".

162. GRAND DIORAMA UNIVERSEL. *vers 1890, Lefman d'après G. Frison, La Lanterne, Paris, dessin colorié au pochoir, 25.4 x 28.6 cm.*
     Une image satirique où de hauts lieux touristiques sont décrits par des expressions à double-sens telles que "...un bien bel effet de lune sur le Pô..." ou encore "...Montretout, célèbre pour ses points de vue...".

163. SANS TITRE. *vers 1880, anon., tapisserie jacquard, 24.1 x 24.1 cm.*

164. ILLUSIONNORAMA. *1872, Lefman d'après Eug. Ladreyt, Le Sifflet, Paris, gravure sur bois rehaussée au pochoir, 20.3 x 22.9 cm.*
     Une gravure française se moquant d'un visiteur venu de sa lointaine Auvergne: "Dix centimes pour voir celle que l'on aime, et vint cinq centimes pour voir celle que l'on n'aime pas". Un sacré choix.

165. BOÎTE D'OPTIQUE. *vers 1890, anon., Peep Show (couverture), publié par New York Publishing Co, chromolithographie coloriée, 16.5 x 24.8 cm.*
     Cette couverture protège un volume d'histoires bon marché. Il n'y a ni introduction ni aucune mention supplémentaire d'une

boîte d'optique. Chaque histoire est accompagnée d'une gravure sur bois et beaucoup d'entre elles contiennent une morale, telle celle des cochons d'Inde qui se termine par "Si vous ne les gardez pas bien propres, ils tomberont malades et mourront. Si vous avez un animal de compagnie, il faut toujours prendre grand soin de lui et lui donner beaucoup à manger, et de l'eau claire à boire."

166. LA BOÎTE D'OPTIQUE DES ENFANTS. *vers 1890, anon., The Children's Peep Show (couverture), publié par E.P. Dutton aux Etats-Unis, imprimé par Ernst Nister, Nuremberg, découpage coloré en relief, 27.9 x 22.2 cm.*
     A l'intérieur de la couverture on trouve l'introduction du livre:
"Un jour dans un bois très profond du Pays des Belles Histoires Se promenait le montreur, qui s'endormit, Et tous les Jeannots Lapins vinrent pour regarder Dans sa boîte d'optique si amusante.

Ils vinrent par douzaines, ils vinrent en grand nombre, Tous regardèrent par les petits trous ronds, Et le bois résonnait de leurs cris Devant sa boîte d'optique si amusante.

Le montreur finit par se réveiller, apeuré, Et avec précaution il ouvrit un oeil brillant, Et ne put s'empêcher de rire en voyant Tous les Jeannots Lapins autour de sa boîte.

J'en ferai un livre, se dit-il, Pour tous les petits enfants que j'aime tant voir; Pour sûr ça les fera bien rire Quand ils regarderont ma boîte d'optique si amusante.

Et dès qu'il fut rentré chez lui, il fit un livre Et le remplit d'images très drôles Et ainsi les petits enfants purent dire, quand ce fut fait... Hourrah pour la boîte d'optique des enfants!"

167. LA BOÎTE D'OPTIQUE. *1894, anon. d'après Harry Truck, The Millions, n° 131, vol. 5, pour la semaine du samedi 22 septembre 1894, gravure, 17.1 x 20.3 cm.*
     L'histoire populaire Un Meurtre dans la Grange Rouge, *était issue d'un fait divers.*

168. THROUGH GREEN GLASSES. *1888, anon., [F.M. Allen], Through Green Glasses (couverture), 6ème édition, publiée par Ward et Downey, 12 York st., Covent Garden, Londres, gravure coloriée, 10.2 x 16.5 cm.*
     Ce livre déborde d'histoires, celles de Dan le montreur de boîte d'optique. Elles constituent un mélange étrange de faits et de fictions. Un bon exemple est l'histoire de Sir Walter Raleigh (que Dan appelle Rolly). L'histoire commence par: "Il y a de cela bien des années apparut à la Cour d'Angleterre un jeune homme du nom de Walter Rolly. C'était un 'cré soldat et un 'cré navigateur, mais malgré tout 'y n'pensait qu'à l'argent; jour et nuit y n'rêvait qu'd'or. Et rien n'était trop dur ni trop lourd pour lui si y'avait d'l'or au bout d'son boulot. Rien qu'en une minute y vous découvrait un nouveau pays, comme qui dirait sorti de rien, et une minute plus tard y vous descendait toute l'armée française ou l'Armada espagnole. Cà! c'était un sacré gaillard, pour sûr; mais, comme j'vous le disais, y n'pensait qu'à l'argent". L'histoire continue dans la même veine. On apprend comment Rolly abandonna la clandestinité pour la Reine Elizabeth, et comment d'autres aventures l'ammenèrent d'une façon ou d'une autre à la richesse.

169. LE JOLI OUIS-TI-TI. *1875, anon. [Mrs George Cupples], The Pretty Mar-Mo-Set (couverture), publié par T. Nelson et Fils, Paternoster Row, Edinburgh et New-York, gravure coloriée, 8.9 x 14 cm.*
     Mrs Cupples, d'après l'éditeur, fut l'auteur de plus de cinquante livres parmi lesquels Pretty Betty, Grandpa's

Adventures, Mary and Her Doll, A Kind Action Never Thrown Away, *et enfin mon préféré,* Uncle Dick's Story *(N.d.T.: Richard se dit également Dick en américain). Avec* The Pretty Mar-Mo-Set *elle nous offre un petit volume d'histoires et d'images. L'image de couverture est celle d'une boîte d'optique, et pourtant l'histoire nous indique que Mrs Cupples est en train d'utiliser une lanterne magique pour montrer ses images, et non pas une boîte d'optique. C'est ainsi que le texte accompagnant le dessin d'une fontaine commence par "Oh, vraiment, que cette fontaine semble rafraîchissante! La chaleur de la lanterne magique devenait déplaisante, mais la vue même de cette eau bouillonnante vous apporte le frais".*

170. LA BOÎTE D'OPTIQUE DE PICADILLY. *1878,* anon. *[Wallis Mackay],* The Piccadilly Peep-Show, *publié par Richardson et Best, 5 Queen's Head Passage, Londres, lithographie rehaussée, 14 x 20.3 cm.*

   Texte d'introduction: "Voici le seul spectacle digne de ce nom dans toute la foire; on n'a ménagé ni sa peine ni son argent pour le rendre digne des exigences de ses clients aristocrates. Il contient un grand assortiment de gravures hautes en couleurs, dont jamais auparavant on n'avait mis l'égal au jour. C'est le seul spectacle qui combine efficacement le sublime et le ridicule. Il a été préparé avec plus d'amour que celui d'une mère - en fait celui d'une grand'mère - par les artistes que nous avons engagés, et le voici, le résultat de ce que peut produire l'industrie combinée au talent. Il a été vu par la Famille Royale, et par la plupart des Têtes couronnées d'Europe. On y verra de quoi plaire à chacun, qu'il soit petit, gros ou grand. Et maintenant, Mesdames et Messieurs, c'est votre tour. Avancez-vous et régalez vos yeux avec le seul vrai Peep-Show de Piccadilly".

171. SPECTACLE ROYAL. *vers 1900,* W. Rainey, *gravure coloriée en relief, 21.6 x 25.4 cm.*

172. LA BOÎTE D'OPTIQUE. *1907,* anon., *demi-teinte en relief, 14 x 20.3 cm.*

173. UN SOU SEULEMENT. *vers 1900, reproduction d'une peinture originale de H.G. Glindoni, Pall Mall Magazine, gravure coloriée, 15.9 x 22.9 cm.*

   On remarquera la trompe au côté du montreur, utilisée pour attirer la foule.

174. DIORAMA. *1869,* anon., L'ECLIPSE, *24 octobre 1869, 12.7 x 11.4 cm.*

   Une caricature politique se moquant du Crédit Communal. Grâce au Crédit Communal, une ville nouvelle est promise à Boquillon, le spectateur. Il faut comprendre que ce que l'on montre et ce que l'on vend n'est qu'illusion.

175. LE TOUR DU MONDE EN 80 SECONDES. *vers 1890, gravure sur bois, 6.3 x 10.2 cm.*

   Cette carte fait partie du genre de chromos publicitaires apparus en France à la fin du dix-neuvième et au début du vingtième siècle. Il est intéressant de constater qu'il y eut un grand nombre de ces cartes avec pour thème la lanterne magique. Toutefois celle-ci, "Le Tour du Monde en 80 Secondes", sans être rare, fait partie du nombre beaucoup plus limité de cartes montrant une boîte d'optique.

176. LANTERNE MAGIQUE DU HIGH-LIFE TAILOR. *vers 1900,* B. Molock, *demi-teinte en relief, 10.8 x 12.7 cm.*

   Cette étonnante petite image constitue la couverture intérieure du catalogue élaboré d'un modiste parisien appelé High Life Tailor. Le livret contient de véritables échantillons de tissus ainsi que des représentations de la mode de ce temps, à côté de personnages célèbres du monde entier, dont Teddy Roosevelt.

177. POUR VOS BEAUX YEUX. *1901,* Albert Guillaume *(1873-1942), Paris, H. Simonis Empis éditeur, 21 rue des Petits-Champs, gravure rehaussée, 28 x 38.1 cm.*
   Guillaume a été célèbre en particulier pour ses dessins de femmes de la période Art Nouveau.

178-179. LE SECRET ENFIN REVELE. *vers 1890,* anon., *Etats-Unis, lithographie coloriée, 8.2 x 13.3 cm; et ouverte 12.1 x 13.3 cm.*
   Bien qu'il ne s'agisse pas exactement d'une boîte d'optique, cette image de carte postale montrant des femmes en train de regarder par le trou d'une serrure annonce la venue du peep-show du vingtième siècle.

180. DETAIL. *Planche 143.* SANS TITRE. *vers 1850, Chine, aquarelle sur papier de riz.*